KB183959

<선한 영향력>의 저자 박상윤 에세이

나는 한 살 이다

나는 한 살이다

2014년 11월 25일 초판 1쇄 발행
지은이 박상윤
발행인 유준원
편 집 박주연
디자인 엄윤경
마케팅 김혜림
경영지원 강수진
발행처 더클코리아
인 쇄 Pacom
공급처 명문사
출판신고 제2013-000072호
주 소 서울시 금천구 남부순환로 108길 20-10 (가산동)
전 화 (02)2025-3220 팩스 (02)2025-3221
전자우편 thecleceo@naver.com

ISBN 979-11-952091-5-6

인생 리부팅을 열망하는 당신에게

나는 한 살이다

"두 번째 인생, 한 살로 거듭나는 아들을 사랑으로
지켜주시는 하늘에 계신 어머니께 이 책을 바칩니다."

기분 좋은 동행

이재규

일생을 거쳐 만나도 어떤 한순간의 인상으로 평생 기억되는 사람이 있다. 그도 나도 서서히 나이들어 가지만, 한 번 뇌리에 박힌 섬광은 지울 수가 없는 것이다. 오랜 벗, 박상윤은 내게 언제나 변함없는 청춘의 모습이다. 1981년 대학 신입생의 얼굴, 단정하게 다려입은 흰 와이셔츠와 청바지에 검은 구두, 머리는 장발이고 언제나 입에는 담배가 물려 있다. 빈궁한 젊은 학생들이 즐겨피던 은하수 아니면 청자다. 그는 특유의 눈웃음으로 상대를 무장해제시키며 말을 걸어온다. 상대생인데도 말은 인문대 쪽에 가까웠다. 계산기를 두드리는 건조함보다 축축한 물기가 넘쳐나는 소년이었다. 그때 유행하던 음악다방에서 가끔 DJ를 볼 때, 상윤이 물기 많은 목소리로 들려주던 'You are only lonely' 같은 노래가 아직도 귓가에 생생하다. 늘 부드러운 사람이었으나 총칼로 국민을 억누르던 시대현실에 대해 분노할 땐 의기가 넘치는 열혈 청년이었다.

토론 동아리에서 만나, 법대생과 상대생으로 문학을 연모하는 공통점 때문이었던지 죽이 잘 맞아 늘 붙어다니던 상윤이 어느날 홀연 군대로 사라졌다. 아련하게 전해지는 소식으로 전경으로 배치를 받아 서울지역 데모 진압 병력으로 근무한다고 들었다. 그의 평소 의식과는 정반대의 병정놀이를 하자니, 그 마음이 어떠했겠는가. 바람결에 전해온 편지에서 그는 깊은 자괴감으로 매일 매순간이 괴롭다고 고백하고 있었다. 그 상처의 긴 터널을 어떻게 지냈던 것인지 그는 제대한 후로 독하게 공부를 하여 대기업에 입사했다. 입대 전에는 나와 술마시고 다니느라 F학점 쌍권총도 불사하였던 그의 성적은 복학 후에는 늘 A+, 과 수석을 놓지 않았고 지금까지 무역학과에서 전설처럼 남아있다. 그가 SK에 입사한 후에 한두 번 잠깐 얼굴을 본 후에 그렇게 청년시절의 그와 헤어졌다. 그는 중국을 무대로 국제비즈니스의 현장에서, 나는 사회운동과 남북관계 그리고 정치의 길에서 각자 다른 길로 들어선 것이다.

대학 시절로부터 30여 년의 세월이 훌쩍 흐른 2012년 12월. 여러 곳에서 크게 무너져 난파선처럼 막막한 바다 위를 떠돌던 나에게, 그가 상하이에서 구조신호를 보내왔다. 나는 가방 하나 덜렁 들고 상하이로 건너갔다. 상하이 체류에 필요한 모든 것을 그가 책임지면서 2013년 한 해동안 정말 많은 이야기를 친구와 나누었다. 하루종일 붙어 있어도 이야기 거리가 차고 넘쳤다. 젊은 날을 서로 호출해주며, 이렇게 한 시대의 진공을 훌쩍 이어주는 마법에 매번 놀랐다. 그 긴 대화를 통해서 그가 홀연 군대로 떠났던 것도 당시 공무원이던 아버지를 둔 탓에 강제징집을 당한 것이었음을 그때서야 알게 되었다. 그는 그 시절의 고통을 부채의식으로 기억했다. 본인 자신도 피해자이면서 말이다. 명문대 출신이 즐비한 대기업에서 뼈를 깎는 노력과 성실함으로 그는 동기생 중 연거푸 승진을 앞질러 했고 영어, 일본어에 이어 중국어를 먼저 익히면서 때마침 열린 중국시장에 첫발을 디뎠다. 이후 휴비스 중국 쓰촨성 현지공장 총경리까지 주재원으로 최고자리에 올랐지만 전격적으로 창업을 결심, 상하이에서 신뢰받는 무역회사를 일구기까지 만만치 않은 시간을 견뎌왔다.

그의 지나온 시간들을 들으면서 그것을 글로 써서 책으로 묶어보라는 권유를 한 것은 나였지만, 글쓰기 워크숍에서 하루도 빠지지 않고 글숙제를 해내면서 결국 자신의 첫 책을 세상에 내보내게된 것은 온전히 상윤 자신의 의지와 노력이었다.

많은 독자들의 사랑을 받은 첫 책 <선한 영향력>은 인생의 성패가 갈리는 핵심적 지점이 그 자신의 '태도'에 있다고 설파한 책이다. 적극적으로 사고하며 무엇이든지 집중하여 해결해나가는 힘을 자신 스스로에게서 발견하는 것, 인생의 목표를 타인의 삶에 긍정적인 영향을 미치는 것으로 설정하는 태도야말로 가장 중요한 덕목이라는 것을 그와 만난 수많은 사람의 사례를 통해서 감동적으로 전달한 책이다. 그리고 다시 일 년만에 상하이박은 두 번째 책을 묶었다. 첫 책을 내고 나서 그의 인생은 정말 크게 바뀌었다. 책을 통하여 그 자신의 소명을 여러사람과 공유하고 확산한 것은 물론 여러 빛깔

의 사람들과 교류하면서 그전과는 다른 새로운 감각의 세계
가 열린 것이다.

상윤의 두 번째 책 <나는 한 살이다>는 그가 어떻게 새로
운 삶의 방향을 정하게 되었는지 차분한 목소리로 들려주는
편지와 같다. 그는 이제 '예술경영'을 선포한다. 그 자신이
오래 고여있던 자신의 내면을 스스로 터뜨려 감동적인 책을
썼듯이 주변의 많은 사람들이 창조의 삶을 만끽할 수 있도록
끊임없는 자기혁명에 나설 것을 기쁘게 선동하고 있는 것이다.

그는 매해 한 권씩의 책을 써서 100살까지 최소한 오십 권
의 책을 낸 작가가 되겠다고 선언했다. 이제껏 그를 일구어온
태도가 증빙하듯이 그는 책을 부지런히 쓰는 작가가 될 것이
다. 자신의 안목이 돋보이는 컬렉션으로 정기적인 전시회를 개

최하는 갤러리를 가지며 가능한 많은 그림을 보고 공연장을 찾으며 오늘 자신을 격동시키는 문장과 영화에 대해 좋은 벗들과 이야기 나누는 삶을 살 것이다. 수많은 예술가들을 만나고, 그들의 창조성 안에서 살아가면서 느낄 즐거움을 상상하는 것만으로도 그는 몹시 가슴이 뛴다고 한다.

그의 말처럼 이제 우리는 오십을 딱 꺾는 순간, 인생을 리부팅하여 새로운 한 살이 되었다. 우리를 설레게 하는 숱한 일들이 안갯속에서 우리를 기다리고 있다.

"꽃이 되지 못한 사람들을 기억하자."

"예술이야말로 우리 삶의 진짜 방향임을 매일 확신하는 삶을 살자."

그가 한 시대에 살아주어서 고맙다. 내가 그의 친구여서 자랑스럽다. 그의 표현 그대로 '인연의 명령'에 따라 우리는 같은 시대를 기쁘게 동행하고 있다.

세상은 감각적이고 글로 담아낼 일들로 가득하다.

그리고 우린 아직 이토록, 젊다.

이재규 작가.

2013년 치유의 글쓰기 워크숍 '작가의 방@상하이'를 진행하면서

30년 만에 다시 글을 쓰기 시작했다.

사람도 인연이 있듯이 책도 다 인연이 있다. 박상윤 대표가
쓴 <선한 영향력>이란 책이 그렇다. 박상윤 대표와는 학교
후배인 장재홍 시인의 소개로 친구가 된 사이인데, 그냥 상
해에서 크게 성공한 사업가인 줄만 알았지 그가 책을 썼다는
사실은 몰랐다. 장재홍 시인은 이 책을 읽고 큰 감동을 받아
일부러 휴가까지 내 상해에 가서 박 대표를 만났다고 한다.

박 대표의 말대로 '아름다운 인연의 명령'이다. 그는 책에
서 "사회에 기여한다는 것은 바로 우리 회사 안에 있는 직원
들에게 먼저 잘하는 것으로부터 출발해야 바람직하다고 생
각한다."라고 말한다. 그는 스마트폰이 흔하지 않을 때 전직
원에게 스마트폰을 사주고, 회사 창립 기념일마다 직원과 함

께 제주와 전주 등으로 여행을 다녀왔는데, 놀랍게도 제주도를 다녀온 2012년에는 전년 대비 100% 성장을 했다고 한다. 박 대표가 말한 선한 영향력이란 이렇게 함께 성장하는 거라 생각한다.

이 책에서 가장 놀라운 부분은 그의 운전기사로 입사한 세 명이 현재 회사의 중견 임원이 됐다는 사실이다. 그는 현재 연 매출 2조에 도전하는 한편, <선한 영향력>을 계기로 작가로서의 이름을 알리고 있다. 그의 도전의 끝이 어디일까 궁금했는데, '그의 인생의 두 번째 책'으로 다시 한 번 비상을 꿈꾼다.

<나는 한 살이다>라는 책 제목이 재미있다. 지금까지 살아온 50년을 과거로 돌리고, 인생을 '리부팅'하여 새로운 50

년의 삶을 살겠다는 작가의 의지가 돋보인다. 작가는 다시 '한 살'이 되었다. 이제 작가에게 새로운 삶에 있어 가장 중요한 건 '글쓰기'다.

매일 책을 읽고, 매일 한 꼭지의 글을 쓰겠으며, 그것을 모아 일 년에 한 권씩 책을 내겠고, 그의 삶을 정리하는 100세쯤에는 책 50권을 가진 작가가 되겠다는 거다. 〈선한 영향력〉을 내기 전에는 50년 동안 문장을 써본 일이 없다는 작가에게 놀랍고도 대단한 결심이 아닐 수 없다.

그의 바람대로 100세까지 건강하게 살아서, 책도 50권 내고, 돈도 '왕창' 벌어서, 선한 일에 '엄청' 기부했으면 좋겠다. 그가 계획하고 있는 엄청난 포부와 앞으로의 놀라운 도전을 나는 지켜보지 않을 도리가 없는 것이다. 박 대표의 건

투를 빈다.

　- 2014. 10. 22. 인천 부광고등학교 교무실에서

신현수, 시인, 사단법인 인천사람과문화 이사장,

시집 〈인천에 살기 위하여〉, 〈시간은 사랑이 지나가게 만든다더니〉 등

prologue

중국에서의 19년 삶과 함께 지난 50년의 세월을 과거라는 책으로 묶어 기억과 망각의 도서관에 넣어두기로 했다. 나는 어제와 내일의 중간 지점을 살아가고 있다.

어떤 빛깔의 세월들이 밀려올 것인지, 어떻게 그 시간들을 엮어나갈 것인지, 모든 감각으로 오늘과 내일을 응시한다. 지금 나는 만으로 51살이다. 인생을 100년이라 생각했을 때 지금 두 번째 오십 년의 첫 해이다. 하루하루 내일로 다가올 두 번째 인생 50년의 시간들이 나를 설레게 한다. 하고 싶은 일, 할 수 있는 일들과 나이 51살에 한 살부터 새롭게 시작하는 인생을 생각하니 몸과 마음이 뜨거워진다.

올해 나는 첫 번째 50년과 작별하였다. 그리고 삶을 리부팅하여 한 살이 되었다. 인생을 새롭게 시작하는 것이다. 두 번째 인생 50년은 지금과 다른 무언가를 이룰 수 있기에 충분한 시간이다. 1만 시간의 법칙이란 말이 있다. 10년 동안 하루 3시간씩 무엇인가에 집중적으로 시간을 투입하면, 그 분야에서 남다른 성과를 낼 수 있다는 것이다. 나에게는 아직 다섯 번의 기회가 남아있다.

중국에서 맞이하는 새로운 인생이다. 나는 이곳 중국에서 회사를 성장시켜서 그룹 규모로 만들어 갈 것이다. 나는 얼마 전 나에게 구호를 만들어 주었다. "왕창엄청"이다. 나는 왕창 돈을 벌 것이고, 엄청 기부를 할 것이다. 그렇다. 나는 힘을 가질 것이다. 이 사회에 선한 영향력이 되기 위해서 더욱 노력할 것이다. 마음으로만 선한 영향력을 끼치는 수준을 뛰어넘어 경제적인 능력으로 구체적인 선한 영향력을 베풀 것이다. 돈 때문에 삶이 힘든 사람들, 돈 때문에 생명이 위험한 사람들, 돈 때문에 제대로 먹지 못하고 배우지도 못하는 어린이들, 나는 그들에게 구체적으로 기부하고 그들의 삶에 희망을 줄 것이다.

나는 새로 태어난 50년 동안은 글을 쓰면서 살아갈 것이다. 많은 소설과 시를 읽을 것이다. 문학 작품들과 인문학 서적들을 많이 접할 것이다. 많이 쓸 것이다. 100살, 두 번째 인생의 50살이 되면, 나는 50권의 책을 쓴 저자가 되어 있을 것이다. 매일 책을 읽고 조금씩이라도 글을 쓰는 일을 삶의 도반으로 삼아 동행하게 될 것이다. 현재 나에게 가장 큰 즐거움이다. 내가 책을 읽지 않고 글을 쓰지 않는다면 어떻게 제대로 살아가고 있다는 기쁨을 느낄 수 있을까? 산다는 것, 그것은 읽는 것이고 쓰는 것이다. 우선 이렇게 정의해본다. 그것 이외에 진정으로 달리 정의할 방법이 없다.

문득 이런 생각이 들었다. 그동안 내가 마신 술, 한잔한잔의 술잔들에 감사하다고 말이다. 무의미한 술은 존재하지 않았다. 안도현 시인이 시작법에 대해 쓴 <가슴으로도 쓰고 손끝으로도 써라>라는 책에서 말했다.

"시를 쓰려면, 사랑하고 술을 마시라."

한 살인 나는 지금부터 인생을 제대로 마셔볼 것이다. 다시, 삶이라는 비어진 술 잔 안으로 모든 문장을 넣고 싶다. 그 문장은 나를 단단하게 만들고 작가로 살아갈 수 있는 삶을 줄 것이다.

|목 차|

3부 바다가 되고 싶다

4부 책이 꽃보다 아름답다

epilogue

　　살아오면서 나의 무심한 차가움에 상처받은 영

혼들은 없는가? 지금도 나의 무심한 습관, 오만한

태도에서 너무 지나친 차가움을 느끼는 사람들은

없는가? 올겨울에는 그들에게 약간의 따뜻함이라

도 나누어줄 수 있는 내가 될 수 있도록 간절히 기

도해야겠다.

1부 —— 아름다운
인연의 명령

꽃을 가꾸며
알게 된 것들

마침표와 느낌표

2014년 7월 4일, 금요일이다. 이른 아침 출국하는 아들을 홍차우 공항까지 데려다 주었다. 다음 주 월요일부터 홍콩의 모건스탠리로 출근하는 아들에게 간절한 소망을 담아서 배웅했다. 아들은 4년 반 만에 스탠포드대학에서 경제학 학사와 경영과학엔지니어링 석사 학위를 받았고, 상위 10%의 우수 학생으로 선발되어 Phi Beta Kappa라는 클럽의 멤버가되었다. 공항으로 들어가는 아들을 보낸 후 회사로 출근하는 길에 홍첸루 한인촌에 있는 잇스카페라는 커피숍에 들렀다. 아이스 아메리카노 한 잔을 테이크아웃했다. 차량 쪽으로 걸어가면서 입안 가득 커피를 빨아들이니 입속부터 가슴까지, 가슴에서 머릿속까지 시원해지는 것 같았다. 순간 마침표 하나와 느낌표 하나가 강력하게 자기 자리를 찾아서 힘껏 소리치는 것 같았다. 오래 동안 써오던 책의 마지막 글자를 타이핑하고 마침내 마침표를 찍은 것 같았다. 가슴 속에 헝클어져 있던 매듭이 지어지고 마침내 느낌표를 하나 찍은 것 같았다.

6년 전이었다. 젊은 청춘을 바쳤던 회사, 20년간 다니던 대기업에 사표를 냈다. 허허벌판으로 뛰어나온 2008년 초부터 쓰기 시작했던 책 한 권의 스토리, 오늘 마침내 마침표를 찍었다. 아빠와 허그를 한 후 홍콩행 비행기를 타기 위해 공항으로 들어간 아들의 뒷모습을 바라보며 마음이 짜릿해졌다. 글로벌 기업인 모건스탠리에 첫 출근하는 월요일 아침, 아들의 경쾌한 발걸음, 당당한 모습을 상상하면서 느낌표를 찍었다. 잘 할 것이다! 잘 하길 바란다! 공항에서 잠시 이별을 하면서 아들에게 던졌던 한 마디, "글로벌 무대에서 위대한 인재가 되라."는 말을 혼자서 몇 번이고 되뇌어 보았다.

오늘은 나에겐 중요한 날이다. 1년 전 오늘, 내 인생이 뒤바뀌기 시작한 날이다. 내 삶에서 처음으로 내가 써서 출판했던 책 <선한 영향력>이 작년 11월 말 문을 열고 세상으로 걸어 나갔었다. 내 인생의 첫 번째 책, 첫 꼭지 "눈물의 스타벅

스" 문장을 썼던 날이 1년 전 오늘이다. 한 사람의 인생에서 처음 쓴 책의 처음 문장을 썼던 날의 1주년이다.

1년 전 그날 아침, 집을 나서 출근하던 길에 오늘 들렀던 잇스카페에 갔었다. 오늘처럼 아이스 아메리카노를 사들고 운전을 하면서 마셨다. 회사가 커피숍에서 가까워서 마지막 한 모금은 사무실의 내 책상에 자리를 잡은 후에 마셨었다. 투명한 플라스틱의 빈 커피 잔을 컴퓨터 옆에 놓아두었는데, 순간 글을 쓰고 싶었다. 컴퓨터에서 워드 파일을 불러 하얀 공간에 가슴에서 저절로 밀려나오는 글들을 받아 적었다. 오래 생각하면서 쓴 글이 아니었다. 아마도 오래 동안 가슴 한 구석에 담겨있었던 듯했다. 토하고 싶을 때 손가락을 목구멍에 밀어 넣으면 욱하고 체한 것들이 토해 나오듯, 잇스카페 커피 한 잔에 스타박스와 내 삶의 기억들이 연결되었다. 가슴 속으로부터 묵혀 두었던 언어들이 튀어나오기 시작했다. 나는 그 것을 받아 적었고, 결국 내 인생의 첫 꼭지가 되었다.

나는 그 전에 문장을 써본 적이 없었다. 회사에서 이메일을 썼던 일, 혼자서 두서없이 일기를 썼던 일을 제외하면, 나 자신이나 타인에게 보여줄 것을 예정하며 글을 써본 경험이 없었다. 한 번도 문장이란 것을 써본 적이 없던 내가 글을 쓰기 시작한 날이 일 년 전 오늘이었다. 그날 아침도 오늘처럼 출근 길에 잇스카페에 들렀고, 아이스 아메리카노 한 잔을 테이크아웃하여 운전을 하면서 커피를 마셨었다.

창업한 지 6년 3개월이 지났다. 어제 오늘 이틀 동안 부서별로 상반기 실적 분석과 하반기 사업 계획에 대한 보고를 들으며 직원들과 미래에 대하여 토론하는 시간을 가졌다. 열심히 해주는 직원들에게 고마웠고 직원들의 모습과 이야기 속에서 밝은 희망을 건져보았다.

사실 창업을 하게 된 이유를 물으면 서너 가지 생각해볼 수 있겠지만 아들의 유학을 말하지 않을 수 없다. 직장 생활 20년째가 끝나가던 2007년 12월, 고3이었던 아들이 스탠포드대학에 조기 합격했다는 기쁜 소식이 있었다. 지금 생각해보면 가장 기쁜 소식이었고 지극히 가슴 답답한 뉴스였다.

미국 사립 대학으로 유학을 보내려면 학비만 연간 6만 불, 기타 비용까지 얼핏 생각해보면 대략 8천만 원 이상이 필요하다는 생각이 들었다. 아들이 미국 대학에 입학하면 딸은 고등학교 1학년이 될 것이고, 딸 역시 미국으로 유학을 보내고 싶었다. 만약 아들과 딸이 어느 한 해 동시에 미국에서 대학을 다닌다고 하면 1년에 유학 비용으로만 1억 6천에서 2억원 가까이 필요할 것이었다.

고민이 시작되었다. 계속 직장 생활을 하면서 아이들을 둘다 미국으로 유학 보낸다면 매년 적자 인생을 살아야 할 것이 뻔했다. 아들이 미국 명문대에 합격했다는 기쁜 소식은 결국 내게 인생의 중대한 결심을 강요하기에 이르렀다. 회사를 떠나기로 했다. 창업을 하기로 했다. 어떻게든 도전하기로 했다. 창업에 실패하여 돈도 못 벌고 집을 팔아서 아이들의 유학비를 대야 하는 상황이 오고, 결국 내가 노숙자가 되어 길거리로 내앉게 되더라도 적극적으로 도전하기로 했던 것이다.

아들이 미국으로 건너가 입학을 하던 2008년 9월, 나는 창업을 한 지 6개월을 맞이하고 있었다. 아들이 첫 학기를 보내던 그해 가을엔 미국발 서브프라임 모기지가 촉발한 세계금융위기의 핵폭탄이 지구의 경제를 강타했던 때였다. 나는 여전히 어두운 동굴 속에서 출구를 찾느라 눈빛만 빛내고 있었다. 그런 어둡던 터널을 통과하고 이젠 그때의 일을 6년 전 추억의 일로 기억하고 있다.

마침내 직장인이 되어 사회로 첫 발을 나서는 아들을 전송한 오늘 아침은 내가 처음으로 썼던 책 <선한 영향력>의 첫 꼭지를 쓴 날이다. 아들아, 고맙다. 너로 인해서 아빠는 마치 지난 6년여 동안 써왔던 책의 마지막 단어 옆에 마침표를 찍은 것 같다. 이제 아빠의 어깨도 가벼워졌다. 가벼워진 날개를 휘이 저어가며 아빠도 푸른 하늘을 향해 비상해보련다.

태양을 향해 수직 상승하려 한다.

나는 이렇게 느낌표를 강하게 찍어본다.

글을 쓴다는 것

작년, 나탈리 골드버그의 책 〈뼛속까지 내려가 써라〉를 읽은 기억이 난다. 제목만으로도 책을 쓸 때의 자세에 대한 가르침을 받을 수 있는 책이다. 작가는 글을 쓰려면 자기의 내면 안으로 깊숙이 들어가라고 말한다. 그 깊은 우물 속에 잠겨있는 기억들을 끄집어내어 쓰라는 것이다. 뼛속의 골수를 짜내듯이 보이지 않는 스토리와 감성을 짜내어보라는 것이다. 일상을 살면서 평소에 쉽게 표면으로 끌어내 보지 못했던 자기의 모습을 들추어 보라는 것이다. 한 번도 글을 써보지 않은 사람들도 사실은 자신의 내면 안에 수많은 이야깃거리를 담아두고 있다. 작가만 글을 쓰는 것이 아니며 누구라도 글을 쓸 수 있고 글을 쓸 권리가 있다고 격려하는 책이다.

책을 쓰면서 나탈리 골드버그의 "뼛속까지 내려가 써라." 라는 메시지를 머릿속에 수없이 반복적으로 되뇌어 보았다. 내려가서 더 이상 내려갈 수 없는 곳까지 내려가고 싶었다. 힘이 들 때는 음악을 틀었다. 깊은 곳까지 내려가기 위해서는 간혹 축축한 노래가 필요했다. 자주 들었던 음악이 강허달림이란 가수의 '미안해요'라는 노래였다. 내게는 골수를 퍼 올릴 수 있는 두레박이었다. 가슴에 얹혀있던 말들을 토해낼 수 있는 손가락이었다. 간혹 글을 쓰는 데 도움이 된다는 바흐의 음악들을 듣기도 했다. 그러면서 믿었다. 누구나 글을 쓸 수 있다는 말을 믿었다. 책을 출간하겠다는 생각은 했지만, 몇 권을 팔 수 있을지 독자들이 있을지에 대한 상상은 처음부터 없었다. 책 한 권 분량의 글을 완성할 수 있을지에 대한 의문과 반드시 해낼 수 있다는 믿음으로 무장한 채 뚜벅뚜벅 나아갔다. 마침내 <선한 영향력>이란 이름을 가진 책으로 출간되었다.

며칠 전, 그녀의 다른 책 <인생을 쓰는 법>을 읽었다. 이 책을 손에 든 이유는 두 가지 생각이었다. 첫째는 그저 운이 좋아서 책 한권을 냈을 뿐인 내가 두 번째로 책을 써볼 용기를 얻기 위해서였다. 둘째는 나처럼 책을 써보지 않은 사람들에게 책을 써볼 용기에 대해서 말해주고 싶었다. 그녀가 이 책에서 말하는 핵심을 한 문장으로 요약하면 이렇다. 무조건 쓰라는 것이다. 주저하지 말고 쓰라는 것이다. 글쓰기도 근육이 필요하다고 한다. 운동을 하는 것처럼 무조건 당장 쓰기 시작하고, 포기하지 않고 쓰면 글쓰기 근육이 발달한다고 한다.

나는 오늘 첫 꼭지의 글을 썼던 날로부터 1주년이 되는 날을 맞이했다. 인생 100살까지 살자면 앞으로 49년이 남았다. 남은 세월이 이렇게 많건만 오직 한 권의 책만을 쓴 후에 글쓰기 습관을 잇는다는 것은 안타까운 일이다. 나탈리 골드버그의 날카로운 가르침을 좇아 '무조건 쓰기 시작'하려고 한다. 오늘 이 순간 노트북의 글자판을 두드리는 나의 손가락이 멈추게 되는 순간이 책의 원고가 완성되는 날이 될 것이다. 나는 신속하게 쓸 것이다. 처음부터 소설가나 시인도 아니었고, 지금도 글을 쓰는 작가라고 할 수 없지만 최소한 나는 글을 쓰는 사람은 될 수 있다. 이번 책 역시 내 책상 위에는 참고 서적을 한 권도 놓아두지 않을 것이다. 오직 내 안에서 얼마나 많은 물을 퍼 올릴 수 있는지 두레박을 깊이 내려보려고 한다. 누구라도 글을 쓸 수 있다고 주장하는 나탈리 골드버그의 말이 나를 통해서 증명될 수 있도록 나는 무작정 노트북의 자판에서 글자를 타이핑해나갈 것이다.

꽃을 가꾸면서

지금은 고인이 된 소설가 박완서 작가가 노년에 혼자 살면서 쓴 미발표 수필과 편지들을 모아 출판한 수필집 <세상에 예쁜 것>을 읽은 때가 작년 추석이었다. 스탠퍼드대학의 가을

학기 개강은 9월 말경이어서 방학 중이던 아들은 마침 집에 와있었다. 작가의 글을 읽던 그 가을날은 햇살이 참 좋았다. 하늘도 푸르렀고 바람도 살결에 다정스럽게 와 닿는 날이었다. 작가는 노년에 서울이 아닌 교외의 전원주택에 살고 있었는데 마당에 핀 이런저런 꽃들을 많이 사랑해주고 있었다.

작가의 수필을 읽으며 포근하게 매만져주던 내 마음의 문을 열고 가을날 아들과 함께 외출을 했다. 박완서 작가의 아름다운 글과 고운 마음 덕분에 내 마음도 덩달아 전원이 되었다. 나도 언젠가는 그런 전원주택에 살고 싶다는 생각을 했다. 나는 운전석에 앉아 있었고 아들은 조수석에 앉아서 부자식간에 수다를 떨었다. 수필집의 제목 〈세상에 예쁜 것〉이 온전히 마음에 들어찼다. 아빠로서 세상에 예쁜 것은 자기 자식이다. 아들이 박완서 작가 집의 마당에 핀 꽃이 되었고, 나는 박완서 작가가 되어가는 기분이었다. 아들은 나의 밭에 꽃이 되어 피어났다. 아빠로서 나는 그다지 열심히 키워낸 기억이 없지만, 아들은 자연에서 햇빛과 비와 바람을 스스로 받아들여 잘 성장해주었다. 아들이 꽃으로 피어나고 있을 때 직접 듣지는 못했겠지만, 아빠는 가끔 아들에게 말을 건네곤 했다.

"세상에서 가장 예쁜 아들아, 잘 자라길 바란다."

언젠가 여유를 갖게 되면 마당이 있는 전원주택을 한 채 마련하고 싶다. 시간이 있을 때 그곳으로 가서 마당에 있는 꽃과 나무를 가꾸며 책과 함께하는 인생을 살아보고 싶다. 그날그날의 마음이 선택한 음악을 들으며, 책을 읽고 글을 쓸 수 있는 인문의 삶에 젖어들며 살고 싶다. 책을 읽다가 또는 쓰다가 마당으로 나서면 낮이건 밤이건 하늘 아래 가장 예쁜 모습들이 나를 반길 수 있는 공간을 만들고 싶다.

나도 너도 꽃으로 피어나자

내가 복이 있어 아들과 딸이라는 세상에서 가장 예쁜 꽃들이 나에게 찾아왔다. 앞서 먼저 찾아왔던 꽃 하나, 아들이 세상으로 막 나아갔다. 직장 생활을 시작하고, 돈을 벌고, 언젠가는 결혼을 하고, 자기 이름을 세상에 알리면서 살아갈 것이다. 아버지로서 아들에게 기대하는 바람들을 꽃에 비유하여 말해보고 싶다.

그동안 네가 부모에게 꽃이었다면, 이제부터 너는 나아가 세상의 꽃이 되어주길 바란다. 꽃이 되기 위해서 우선 네 마음 깊고 넓은 공간에 많은 꽃씨들을 심고 가꾸기 바란다. 아빠도 그리 할 것이다.

봄이 오고, 여름이 오고, 가을이 지나고 겨울로, 다시 봄으로, 계절이 몸을 뒤바꾸듯 인생은 희노애락이 끊임없이 반복되는 물결이다. 우리는 그 한가운데 서있다. 조개는 셀 수 없이 많은 아픔을 참아야 진주를 품는다. 삶이 꺼내보이는 갖가지 색채들을 경험해야 너의 밭 안에 아름다운 꽃들을 피워낼 수가 있을 것이다. 다양한 색들의 경험이 너를 투과해 나갈 때 너는 성장하고 마침내 꽃들을 피워낼 수 있을 것이다.

꽃 한 송이 피워내는 일, 그것은 낭만적인 일만은 아닐 것이다. 십여 년의 학업을 마친 후 마침내 스스로 자립하여 사회의 당당한 일원이 된 지금처럼 인내와 성장의 시간들을 필요로 하는 것이다. 어둠이 짙을수록 별빛이 더욱 아름답게 보인다. 비바람이 거세게 불어야 나무가 튼튼한 것을 깨닫게 된다. 살다보면 어려운 일들도 겪으며 더욱 빛이 나고 튼튼해지게 될 것이다. 나도 그랬고 너도 그러할 것이다. 우리 주변의 모든 사람들이 그러할 것이다. 매년 피어나는 아름다운 꽃들처럼 우리도 매년 피어나는 꽃이 되어보자. 우리의 깊은 뼛속에, 깊고 울림이 큰 내면의 전원에 세상에 대한 강렬한 희망의 씨앗을 뿌려보자. 매년 새롭게 피어나는 꽃을 키워보자.

마당에 서있는 박완서 작가의 눈에 활짝 피어난 꽃들, 그들은 땅의 단단함을 뚫고 비와 바람에 흔들리고, 뜨거운 태양에 몸을 노출시키면서 온갖 귀찮은 벌레들의 방해에도 굴

하지 않고 끝끝내 꽃들로 피어났다. 마치 거대한 체구를 가진 상대방의 기세를 이용하여 가벼운 동작으로 엎어치기하듯, 꽃들은 자연의 힘을 받아들이고 그 기세를 이용하여 그들의 존재를 드러냈다.

우리도 그리하자. 살면서 온갖 어려움이 있더라도 움츠러들지 말고 그 단단한 시련의 지층을 어떻게든 뚫고 하늘을 향해 솟아오르고 활짝 피어나자. 살면서 마주칠 복잡한 상황들과 그것들이 우리에게 강요할지 모르는 감정들의 공격적인 기세를 여유 있는 마음으로 가볍게, 우리에게 유리하게 이용하면서 행복의 꽃을 피워내도록 하자. 노인이 된 작가에게 행복감을 주었던 꽃들처럼 우리도 우리로 인해 우리를 바라보는 사람들에게 행복을 전해주도록 하자.

나탈리 골드버그는 이렇게 말했다. 장미 한 송이 예쁘게 피어나는 것에 대해서 글을 쓸 때, 그 순간 아프리카 혹은 남아메리카 어느 곳에서 어린이 하나가 굶주리고, 병들어 죽어가고 있는 것에 대해서도 잊지 말아야 한다고 했다. 작가는 그런 사람이어야 한다고 했다.

너와 내가 꽃이 되어야 하지만, 우리가 피어나는 매 순간에도 세상에는 굶주린 사람, 돈이 없어 병든 몸을 치료하지 못하는 사람, 억울하게 죽어가는 사람들이 있다는 것을 기억하도록 하자. 우리 몸속 안으로부터 피워낸 꽃을 바라보게 되는 사람들이 우리를 꽃으로 불러주는 날이 오더라도 우리는 꽃이 되지 못한 사람들을 기억하자. 그들에게 도움이 되는 사람으로 살아가도록 하자. 그들에게 다가가 그들의 가슴과 영혼 안에 있는 꽃들을 찾아보도록 하자. 우리의 향기가 그들 가운데 일부 사람들에게게라도 미칠 수 있도록 하고 그들에게 위로와 치유가 될 수 있도록 하자.

오늘 나는 마음 밭에서 꿈틀거리는 뭔가에 이끌려 어설픈 솜씨로 글을 쓴다. 내게는 꽃이었던 네가 세상에 나가서 따뜻한 꽃이 되길 바란다. 자신만을 생각하는 꽃이 아니라 널리 주변에 선한 영향력이 되어 가는 향기를 발산하는 꽃이 되어 주길 바란다. 나도 그런 꽃이 되어갈 것이다. 끊임없이 다시 일어서는 꽃이 되어갈 것이다.

졸업을
축하한다(아들에게)

사랑하는 아들,

우선 너의 대학과 대학원 동시 졸업을 축하한다. 4년하고 1학기 만에 미국 명문 스탠퍼드대학에서 학사와 석사의 학위를 동시에 받고 이달 15일 졸업식을 하게 되는 네가 무척 자랑스럽구나. 아빠는 14일날 상하이에서 샌프란시스코로 바로 날아가려고 한다. 다음 달이면 너도 정식으로 사회에서 직장 생활을 시작하는구나. 졸업식 전날인 14일에는 네가 Phi Beta Kappa라는 우수 졸업생 학회에 회원으로 합격되어 학교 콘서트홀에서 열리는 Initiation Ceremony에 같이 참석하자고 했지, 무척 기쁘구나. 통역병으로 군대도 마쳤고, 이달 졸업하면 다음달부터 모건스탠리에서 근무하게 되는 너를 자랑스럽게 생각한다. 고맙다. 너의 졸업은 다른 의미에서 너를 위하여 학비를 낸다거나 용돈을 주는 일로부터 아빠도 졸업을 하게 된다는 것이지. 아빠도 축하해주렴.

감회가 새롭구나. 2006년이었어. 아빠가 상하이 푸단대학에서 EMBA를 할 때였지. 너는 고등학교 2학년이었다. 매월 4일간 full day로 수업 하는 과정이었는데, 수업 중간 쉬는 시간에 중국인 클라스메이트들과 환담을 주고받던 때였단다. 내가 무심코, 내 아이들을 미국으로 유학 보내야 하는데, 미국 사립대학은 학비가 너무 비싸서 걱정이라고 말했었단다. 그때, 아빠 말을 듣고 있던 같은 반 중국 친구가 아빠에게 이렇게 말했단다.

"그게 바로 네가 성공할 수밖에 없는 이유야."

네가 2008년 9월에 미국 스탠퍼드 1학년 신입생으로 입학할 때, 아빠는 막 창업을 해서 경제적으로나 정신적으로 여유가 없었단다. 엄마만 너의 입학식에 참석하고, 아빠는 도저히 미국까지 가서 입학식에 참석할 비용에 대한 마음의 여유도, 갓시작한 사업으로 시간적 여유도 없었단다. 너의 입학식에 참석하지 못했던 것이 무척 후회가 되었단다. 푸단대 친구의 말처럼, 아빠는 성공했나 보다. 적어도 이달 15일 네가 졸업하는 날, 졸업식에는 아빠가 기쁜 마음으로 참석할 수 있게 되었으니 말이다. 그때 중국 친구의 말처럼, 어찌 보면 네가 아빠로 하여금 열심히 살도록 만들어주었고, 아빠는 성공하지 않으면 안되었지. 너와 네 동생을 위해서 말이야. 성공한 아빠로 만들어준 너에게 아빠 내면 깊은 곳으로부터 고맙다는 말을 하고 싶구나. 네가 1학년 1학기를 마치고 방학 때 집에 와서 아빠에게 이야기했었지. 4년 만에 대학원까지 마치겠다고. 아빠가 돈이 별로 없는 사람이라서 그런 생각을 했었니? 여하튼 군병역도 마치고, 너는 약속을 지켜주었구나.

이제 열흘 밤만 지나면 너의 졸업식에 참석하게 되는구나. 오히려 아빠가 졸업을 하는 기분이 든단다. 감격이다. 아빠로서는 이제 너의 여자 친구는 누가 될까 상상하며 네가 여친을 아빠에게 소개해주는 날만을 기대하고 있으면 되겠구나. 취업이 되어 직장 생활을 시작하는 너에게 몇 가지 팁을 줄게.

첫째, 직장 생활을 잘해야겠다는 생각을 버려라. 사회에서 일반적으로 이야기하는 인간관계를 잘하고, 상하좌우 소통을 잘하라는 말은 어찌 보면 자기 소신 없이 조직에 순응하라는 말과 다를 게 없는 것 같더라. 너는 네가 속한 조직의 사장, 아니 회장이라면 어떻게 할 것인지를 생각하면서 일을 하거라. 너는 신입사원이겠지만, 네가 속한 조직의 리더들이 원하는 것은 무엇이고, 네가 그 조직의 최고 리더라면 신입사원이 어떻게 일을 해주길 원할지 생각해보기 바란다.

둘째, 남과 다른 노력, 헌신이 필요하다. 요즘 젊은이들은 자기주장이 강하다고 하더라. 자기 개인 삶이 더 중요하기 때문에 직장 생활은 월급 받는 정도만 하고, 정시에 출근하고 정시에 퇴근해서 자기 삶을 살아야 한다고 생각하는 것 같다. 나는 이 생각에 반대한다. 그렇게 자기 삶을 살 거면 왜 남의 월급을 받고 취직을 하니? 처음부터 자기가 사장이 되어 일하지. 너는 월급 같은 것 신경 쓰지 말고 일해라. 일로 승부를 겨루거라. 네가 월급 받는 조직에서 최고가 되려고 하지 마라. 그것은 별로 의미가 없다. 너와 같은 일을 하는 전 세계의 모든 조직 내의 모든 사람 중에서 최고가 되도록 해라. 너의 일에서 프로페셔널이 되려고 하지 마라. 아티스트가 되거라. 그것이 기업 인수 합병 업무이든 무엇이든 아티스트가 되거라. 아티스트란 인류가 지금껏 도달해본 한계를 새롭게 뛰어넘는 수준을 말하는 것이다.

셋째, 미친 듯이 일해라. 세상에서 뭔가 이룬다는 것은 말이야, 정상적으로 살아서는, 적당히 해서는 안 되는 거야. 남들처럼 정상적으로 일해서 어떻게 탁월해지겠니? 몰입해라. 네가 하는 일에 푹 미쳐라. 그 일을 사랑하고, 그 사랑에 중독되거라.

넷째, 겸손하지 마라. 직장 생활을 잘 하기 위해서 자기 소신을 죽이거나 의견을 말하지 못하고 숨 막히며 스트레스 받는 생활을 하지 말기 바란다. 그럴 거면 아예 퇴사를 하여 너 스스로 스타트업을 하기 바란다. 모난 돌이 정에 맞는 법이니 적당히 중간 자리에서 너무 튀지 말라는 말을 듣게 되면, 그 말을 한 사람과 다투지는 말거라. 정중하게 그를 대할 것이되, 너는 더욱 높은 경지에서 다시 더 높은 경지에 오르도록 노력하기 바란다.

다섯째, 너는 바다가 되어라. 바다는 모든 물 중에서 가장 낮은 위치에 있으며, 가장 넓은 것이며 끝이 없는 것이다. 세상의 모든 냇물들이 강물들이 모두 너의 품 안에서 받아들여지고 이해되도록 하거라.

주절주절 하고 싶은 말들이 더 있긴 하지만, 말이 많으면 나도 무슨 말을 하는지 헤맬 수 있으니 위의 모든 말을 요약하여 간단하게 이렇게 말하고 싶구나.

"아빠는 너를 사랑한단다. 사랑해 아들, 내 아들이 되어주어 고맙구나."

나의 영광

열어둔 창문으로 가을 바람이 아직 끝나지 않은 여름을 앞질러 방 안으로 밀려 들고 있다. 바람에 못 이겨 안쪽으로 열어놓았던 사무실 방 문이 닫혀지니 직원들이 일을 하고 있는 공간과 내 방이 잠시 경계를 가른다. 블라인드는 나뭇가지 출렁거리듯 몸을 공중에 띄우고 있다. 가을은 사람을 추억으로 데려가는 마법사인 것 같다.

지금까지 살아오면서 나에게 개인적으로 몇 번의 영광된 경험이 있었는지 문득 헤아려 보고 싶다. 중국의 옛말을 기억한다. 호한은 왕년에 용감했던 적이 있었다는 말을 하지 않는다고 한다. 나는 이 말에 동의한다. 지금껏 살면서 과거의 영광을 되씹고 추억하는 일은 별로 의미가 없다고 생각하며 살아왔다. 과거의 성공, 영광, 행복, 지난 일들이 아무리 화려했다고 하더라도 그 기억들만 붙들고 살 수는 없지 않는가? 현재가 초라하다면, 과거가 현재를 먹여 살릴 수도 없고, 과거가 미래를 보장해주지도 않을 것이라 생각한다. 지난 세월에 이루어 놓은 성공이나 맛 보았던 영광이 오늘을 사는 내 머릿속에서 크게 보인다면, 나는 퇴보한 것이고, 작아진 것이고, 몰락한 것이 될 것이다. 열정이 식어서 이제 추억만을 먹고 사는 늙은이가 될 것이다.

그런데 오늘 갑자기 과거의 영광들을 떠올려보고 싶은 것은 지금의 내가 작아졌기 때문이 아니라고 주장하면서, 단지 가을을 불러오는 바람 때문에 한순간만 행복한 기분에 사로잡히고 싶은 것이라고 핑계를 대본다.

만약 누가 나에게, 당신 인생에서 영광이었던 순간은 언제요? 가장 큰 영광 몇 가지를 순위를 매겨서 말해봐요라고 물어본다면. 글쎄요, 라고 우선 대답을 한 후에 천천히 과거의 기억들을 더듬어 보아야겠다.

이 질문에 대답을 해보자.

내게 있어서 영광 1순위는 아들이 스탠퍼드대학에서 학사와 석사 학위를 동시에 받으며 졸업하던 날, 스탠퍼드 대학 메인 스타디움에서 빌게이츠와 한 공간에서 아들의 졸업식에 참석했던 일이다.

자식들이 중고등학교 다닐 때, 아버지로서 나는 회사 업무를 한다면서 항상 밖으로만 다녔다. 쓰촨성 쯔공시에서 3년을 근무했고, 그에 앞서 상하이에서 9년 동안 근무할 때도 늘 출장과 잦은 술자리로 아이들에게 아버지로서 제대로 된 역할을 보여줄 수 없었다.

봉사 문고리 잡는다고 하지 않는가, 내가 그런 운을 타고 태어난 것이다. 누구는 자식은 부모 마음대로 되는 것이 아니라며 한탄을 하기도 한다. 열심히 사는 아이들을 둔 것은 내 마음이 그 경지를 강렬하게 원했기 때문은 아니었다. 어찌 보면 아무 생각 없이 살아온 나에게 아이들이 큰 선물을 준 것이다.

애플, 구글, 페이스북 등 첨단 기업들이 있는 팔로알토에 가볼 수 있었고, 빌 게이츠의 졸업축사를 들으며 큰 영감을 받을 수 있었던 것은 내 인생의 영광된 순간 넘버 1호이다.

둘째인 딸이 필라델피아에 있는 펜실바니아 대학(유펜)에 입학하던 날, 딸과 함께 유펜의 캠퍼스를 거닐었던 기억, 학교에서 신입생 부모들에게 가슴과 자동차에 붙이라고 준 "PROUD PENN PARENT"의 뱃지와 스티커를 생각해보니 이때가 내게 영광 순위 2호다. 딸은 유펜에서 1학년을 마치고, 지금은 서울대학 의예과 2학년을 다니고 있으니, 영광 순위 2호를 바꾸고자 한다. 몇 년 후 서울대 의대를 졸업하고 의사가 되면, 의사 딸을 둔 아빠로 바꿔보고자 한다.

그럼 3순위는 무엇일까? 내가 평범한 직장인으로 20년을 살아오다가 겨우 창업을 하여 조그만 회사를 운영하면서 책을 썼다는 것이다. <선한 영향력>을 쓴 이후로 상하이 하이톤 호텔에서 지인들을 초청하여 출판기념회를 했다. 서울 카톨릭청년회관에서 북콘서트를 했고, 압구정동에서 CEO TOK에 출연하기도 했다. 머니투데이라는 케이블 방송에도 출연했고, 조선대와 울산대 최고경영자 과정에서도 강의를 했다. 그 외에도 서울, 전주, 상하이 등지에서 강의를 했는데 이제는 몇 번 강의를 했는지 정확히 셈해보기가 쉽지 않게 되었다. 네이버를 검색하면 인물정보가 뜨고, 내 이름으로 책 서평, 신문기사, 유트브 동영상, 블로그의 글들이 검색이 되고 있다.

아버지로서 자연스러운 일이겠지만, 나는 영광의 1순위와 2순위는 아들과 딸에게 양보하고 싶다. 내 개인의 일들은 아무리 큰 영광이라고 할지라도 영원히 3위로 하련다.

내가 오늘 현재 영광 1위와 2위에 올려놓은 아들과 딸의 미래도 더욱 기뻐할 일들이 많을 것이다. 아이들은 나에게 더욱 큰 영광을 가져다 줄 것이다. 아버지인 나 역시 아들과 딸

에게 아빠의 영광된 모습을 보여주리라 믿는다. 지난 과거의
영광은 아직 큰 영광이 아니다. 더 큰 영광은 항상 오늘 이룬
영광을 넘어서 내일 모레 또 찾아올 것이다.

꽃이 지고 나면
잎이 보이듯이

넉넉한 얼굴, 일 년에 딱 한 번만 찾아오는 추석의 보름달, 지금 저만치 걸어가고 있을 것이다. 축축하게 젖은 마음일랑 모두 말려두거라, 내년에 다시 볼 수 있을 거야. 아침부터 아버지의 넉넉한 목소리처럼 따뜻한 빛을 담은 해는 게으른 아들의 창문을 두드리듯 부드러운 음성으로 다가왔다.

고추 먹고 맴맴, 고추잠자리를 쫓아 정신없이 들길을 헤매던 어린 시절, 할아버지와 아버지를 따라서 들길로 산길로 성묘를 가던 유년 시절의 햇살 가득한 가을 동화가 눈앞에 어른거렸다.

거실 창문으로 들어오는 햇볕에 몸을 말리며, 이해인 수녀의 〈꽃이 지고 나면 잎이 보이듯이〉라는 책을 넘기고 있었다.

수녀님이 나를 따뜻한 잠으로 이끌어 주었나 보다. 그분의 순수하고, 맑고 밝은 사랑과 아름다운 글들을 배우면서 추석 연휴의 아침을 보내다가 밥을 뜸들이듯 깜박 또 잠이 들었다. 점심이 되어 아내와 아들과 함께 칼국수를 잘 하는 식당으로 날아가듯 달려가듯 운전하여 갔다. 칼국수, 보쌈, 김치만두, 소고기만두, 셋이서 먹기에는 많이 시켰나보다. 너무 많이 먹어 배부른 나른함을 태우고 차를 몰아 우종루와 홍쉬루의 사거리에 있는 전자 제품 매장 수닝으로 갔다.

아내가 잠시 매장에 들어간 사이, 약간은 따가워지는 햇살을 받으며 전기줄에 앉아 지줄대는 아들제비, 아빠제비처럼 아들과 아빠는 길거리 사람들을 내려다 보면서 가을의 대화를 시작했다. 아들은 오후 그 시간 햇볕의 따사로움에 딱 어울리는 이야기들을 아빠에게 주섬주섬 재미있게 풀어냈다. 아들의 이야기를 듣는다는 것, 어젯밤 보름달이 내게 이야기한 것보다 더욱 감미로운 사랑의 체험이었다. 인생이 딱 이런 시간들로만 꽉 채워질 수 있다면 얼마나 좋을까?

오늘 아침 똑같은 창문을 바라보는데 찬 바람이 밀려들었다. 어제 아침 그렇게 건강했던 햇살은 물기로 가득한 구름들에 힘없이 한쪽으로 밀려나 있나 보다. 축축한 습기가 방안에 가득해졌다. 창밖의 하늘을 보니 온통 회색으로 도배되어 있다. 발코니로 나가서 하늘의 빈공간으로 시선을 던져보았다. 상념들이 일렁거렸다.

무척 더웠던 여름이 지나갔고 이제 살기에 딱 좋은 가을이 왔거늘, 곧 겨울이 오면 세상은 얼마나 추워질까, 차가운 계절이 곧 오겠지, 라는 생각이 뜬금없이 떠올랐다. 가을은 너무 뜨거운 것과 너무 차가운 것, 딱 그 중간에 있는 지나치게 짧아 아쉬운 멋진 꿈 같은 것은 것은 아닐까? 인생이란 제대로 뜨겁거나, 제대로 차가워지거나 그렇게 살아야 하는 것이지, 맨날 죽도 아니고 밥도 아닌 것처럼 맹맹하게 살면 안된다, 라고 무책임하게 뱉어내었던 지난 날의 말들을 다시 회수하고 싶은 생각이 들었다.

너무 뜨거우면 화상을 입기 쉽고 너무 차가우면 동상을 입기가 쉽다. 태양에 너무 가까워지면 타 죽고, 태양에서 너무 멀어지면 얼어 죽는다. 사랑에 너무 가까워지거나 너무 멀어지면 그와 같이 우리는 상처받고 타 죽거나 얼어 죽을 수도 있다. 추석 때 즈음의 가을처럼, 사랑은 너무 뜨겁지도 않고 너무 차지도 않은 계절이면 좋겠다. 피부를 약간만 태울 정도의 따사로운 햇빛, 어린 시절 어머니가 지붕 위에 고추를 말릴 때의 일조량으로 물기 가득한 마음들을 천천히 데우고 감싸 안아주는 정도면 좋겠다.

습기 많은 오늘 아침, 잿빛으로 가득한 하늘, 이런 날이 갑자기 밀려오는 차가운 공기에 얼어 버리면 추운 날씨에 가난한 사람들, 마음이 가난한 영혼들은 어떻게 살아야 한단 말인가? 이 가을에 햇빛을 마음껏 받아들여 내 몸 안에 차곡차곡 꽉꽉 눌러 저장해놓고 싶다. 태양의 에너지를 모아서 전기를 만들어내듯, 겨울이 오기 전에 더 많이 축전을 해두고 싶다. 이해인 수녀님처럼 맑고 순수하게 정제하여 아름다운 사랑의 마음을 만들어 내고 싶다.

살아오면서 나의 무심한 차가움에 상처받은 영혼들은 없는가? 지금도 나의 무심한 습관, 오만한 태도에서 너무 지나친 차가움을 느끼는 사람들은 없는가? 올겨울에는 그들에게 약간의 따뜻함이라도 나누어줄 수 있는 내가 될 수 있도록 간절히 기도해야겠다.

"겨울의 삶이 너무 춥지 않도록."

추석 연휴를 보내는 삼 일째의 아침 이 시간, 고추잠자리가 빨랫줄에 걸린 내 마음 위에 살포시 내려앉는다.

거절을 거절하라

　슈베르트의 아베마리아를 듣는 이른 아침, 노트북 오른편 아래 지점에서 시간은 6시를 넘어간다. 하루를 시작하려는 1초, 1초의 설레임으로 혹은 간절함으로 시간은 나와 함께 8월 중순의 아침을 열어간다. 사무실은 아직 나 혼자 뿐이다. 이런 새벽이 좋다. 남보다 몇 시간 빨리 시작하는 하루, 시간은 데스크톱과 노트북에 축적되어 글이 되어 갈 것이고, 나의 내일이 되어 갈 것이다.

　한국은 중국보다 1시간이 빠르다. 아침 7시, 한국으로부터 메시지가 상하이의 내 데스크톱을 노크한다. 사진을 보냈나 보다 생각하며 클릭해보니, 후배 유준원 작가가 내 아버지와 메시지를 나눈 대화를 화면 캡쳐해서 보낸 것이다. 한국 시간 아침 7시 1분, 아버지는 후배에게 이렇게 말씀하셨다. "전일 찾아주신 정, 크게 감사드립니다. 지으신 책, 오늘 새벽까지 감명 깊게 잘 읽었습니다. 나의 여생에 충실과 열정을 추구하며 영업하는데 시너지 효과가 크리라 다짐하며 감사드립니다." 후배 유 작가는 아버지의 메시지를 받고 7시 5분에 회신을 했다. "네, 아버님, 감사합니다. 진실하게 열정만 있으면 된다는 아버님 말씀, 잘 새기고 실천하겠습니다. 오늘도 행복하세요."

평일은 서울에서 근무하는 유 작가의 본가는 전주다. 금요일 밤에는 가족이 있는 전주로 내려가서 주말을 보내는 그가 지난 주 토요일 오후에 익산에 계신 내 아버지를 찾아간 것이다. 아버지에게 과일 선물을 하고 내 책 〈선한 영향력〉 20권을 전달해 드렸다고 했다. 후배는 아버지가 아들이 쓴 책을 들고있는 모습을 찍어서 메시지를 보냈다. 사진 속에서 아버지는 내 책을 들고 아들이 자랑스럽다는 표정을 보이셨다. 후배가 아버지께 선물한 포도와 사과도 보였다. 나는 후배에게 고맙다는 답신을 보내면서 그가 쓴 책 〈거절을 거절하라〉를 서명하여 아버지에게 한 권 드리라고 말했다.

자식은 어른이 되어도 아버지 앞에서는 여전히 어린 모습인 모양이다. 항상 아들에게 사람 볼 줄 아는 눈을 키워야 한다고 강조하시곤 했다. 금전적으로 피해를 주는 사람이나 진실성이 부족한 사람은 구별해내야 한다는 말씀을 늘 하신다. 겉으로는 친절하게 대하셔도 뜬금없이 찾아온 사람이 어떤 사람인지 재단하고 계실 아버지에게 후배가 좋은 사람이니 걱정하시지 말라는 뜻을 전달하고 싶었다. 아버지가 후배의 책을 읽으시도록 하는 것이 최선이라고 생각했다.

후배 유 작가와의 만남은 그의 적극적인 태도 덕분이었다. 올해 2월 22일 토요일 아침이었다. 매주 토요일 아침 6시 40분, 리더스독서클럽은 아침 독서 토론을 한다. 벌써 13년째라고 했다. 아침 독서 토론을 마친 40여 명의 참석자들에게 〈선한 영향력〉의 저자로 소개를 받은 후 강의를 했다. 강의를 마친 후 나를 초청해준 리더스독서클럽 회장, 유길문 박사 일행과 아침 식사를 했다. 전북대학교 옆에 있는 덕진공원 후문 근처 카페에서 친구와 대화를 나누고 있을 때였다. 친구의 핸드폰으로 내가 있는 곳을 묻는 전화가 왔다. 그가 유준원 작가이다. 그는 나의 강의를 들은 후 곧바로 교보문고로 달려가 〈선한 영향력〉 두 권을 사서 카페로 왔다. 한 권은 자신의 이름으로, 다른 한 권은 직원들과 같이 보겠다면서 자신이 경영하는 출판사 더클코리아 이름으로 저자 사인을 해달라고 했다. 내 강의를 들은 40여 명의 회원들 중에 오직 그만이 이렇게 적극적이었던 것이다. 우리는 이렇게 만났다.

〈거절을 거절하라〉의 작가는 고등학교 때 소아마비를 앓았다고 했다. 그가 올해 7월과 8월에 중국 상하이에서 강의를 할 때, 내가 청중에게 강사는 다리 한 쪽이 짧은 분이라고 소개했더니, 그는 웃으면서 다리 한 쪽이 길다며 정정을 해주었다. 병역의무를 면제받는 것이 당연한 그는 자원해서 방위로 군복무를 마친 후 세일즈맨 인생 길을 걸었다. 갖은 실패와 잠재 고객들로부터 온갖 거절을 극복하고 그는 대한민국 최우수 세일즈맨이 되었다. 고객들의 거절을 거절하라, 제목이 범상치 않다. 그는 출판사 명함과 별도로 거절극복연구소장의 명함을 가지고 다닌다. 삶을 긍정적으로 바라보는 작가의 태도, 어떠한 역경에도 좌절하지 않고 도전하여 이루어내는 불굴의 노력, 거절하는 사람을 내 사람으로 만드는 지혜와 사랑을 그의 책에서 읽을 수 있다.

방금 받은 메시지를 보니 아버지는 아마 어젯밤부터 시작하여 후배가 쓴 책을 오늘 새벽에 다 읽으신 모양이다. 아들의 책을 보시면서 아들을 배우고 있다고 주변의 어르신 친구분들께도 말씀하시곤 하는 아버지는 후배의 책을 보면서 메시지에서 말씀하신 것처럼 감명을 받으셨으리라 믿는다. 마음속으로 유준원 작가를 배우겠다고 다짐을 하면서 작가에게 고마운 마음을 표현하려고 메시지를 보내셨을 것이다.

내 아버지는 그런 분이시다. 혼자 사셔도 꿋꿋하게 자기 관리를 하시는 분이다. 공무원으로 근무하실 때, 공인중개사 제1회 자격시험에 합격하여 자격증을 따놓으셨다가 정년퇴직 후 지금까지 공인중개사를 하고 계신다. 일 욕심이 많으셔서 농부가 아니었지만, 지금도 혼자서 논농사를 짓고 계신다. 돈을 위해서 논농사를 지으시는 것이 아니라, 뭔가 부지런하게 일을 해야 하는 성격, 그 열정 때문이다. 후배 유 작가가 아버지와 나눈 메시지를 전달해주고서 인사처럼 말을 보탠다. "형님이 하늘에서 뚝 떨어진 줄 알았는데, 아버님 뵙고 나서 훌륭한 아버님에 그 아들이 있다는 것을 알게 되었어요. 아버님은 열정뿐 아니라 표현력과 글솜씨도 고수세요. 목소리는 형님보다 더 멋있어요. 통화하실 때는 50대 같았고요. 말씀도 잘하세요. 한 시간 가까이 좋은 말씀 매끄럽게 하셨어요. 강사처럼요, 형님과 저보다 더."

후배 유 작가 덕분에 오늘 아침 아버지의 열정을 전달받고 있다. 팔십에 가까운 연세, 아직도 정정한 열정으로 후배에게 메시지로 말씀하셨다. 여생 동안 충실하게 열정을 추구할 것이며, 부동산 중개 영업을 하는데 <거절을 거절하라> 후배의 책이 큰 시너지 효과를 줄 것으로 기대한다고. 아버지의 건강하신 모습과 열정을 담은 말씀을 듣게 해준 후배가 고맙다. 후배에게 "내가 아버지의 DNA를 받았지."라며, 마지막 말과 환한 웃음의 이모티콘을 날리고 나니, 내 마음에 감사의 마음이 평온한 호수의 물결처럼 느껴져 왔다.

SNS가 발달한 요즘은 편지 대신 이메일이나 문자 메시지, 혹은 전화로 소통을 한다. 원하면 언제라도 세계의 구석진 곳, 멀리 떨어진 곳이라 해도 통신이 가 닿을 수 있는 곳이라면 SNS로 실시간 대화를 나눌 수 있다. 아버지께 자주 메시지로나마 인사를 드려야겠다. SNS가 여생의 행복지수를 올려줄 수 있구나, 라는 것을 느끼게 해드려야겠다.

문자 메시지도 일종의 편지가 아닐까 생각해본다. 대학교 1학년 때 같은 동아리에서 만난 여학생에게 처음으로 이성에 대한 사랑 비슷한 것을 느끼고 짝사랑으로 몸살을 앓던 숱한 밤에 썼던 보내지 않은 편지. 대학 2학년 때 군에 입대하여 전방 철책선에서 근무하던 형에게 썼던 열몇 페이지의 편지. 결혼 5년차 베이징에서 중국어 연수를 하던 중 매주 1통씩 써서 한국의 아내에게 부쳤던 수많은 편지들. 이런 편지들의 추억은 이미 기억의 도서관 깊숙한 곳에 넣어둔지 오래되었다. 이메일이 가능해지고, 특히 최근에는 스마트폰 메시지 등이 가능해지면서 편지 쓸 일이 없어졌다. 세상이 바뀌었지만 그래도 손편지를 써야 제맛이 난다고 향수병 같은 말을 하는 사람도 있긴 하다. 그러나 이메일을 쓸 수 있고, 전화를 할 수 있고, 스마트폰 메시지를 보낼 수 있는 요즘, 손으로 쓴 편지를 보낸다면 받아보는 사람도 의아해할 것이다.

이제 세상은 편해졌다. 전화도 드려야겠지만, 아버지께 자주 메시지를 보내자. 짧막한 편지라고 생각하고 자주 보내드리자. 발송 즉시 받아보실 수 있는 아들의 편지로 아버지의 하루를 건강하고 행복하게 열어드리자.

비행기를 타고

"아들이 비행기를 많이 탈 것 같네요. 아들 덕분에 어머니도 비행기를 타시겠어요."

동네 친구분들과 절에 다녀오신 어머니가 스님이 봐준 사주라며 하셨던 말을 가끔 떠올리곤 한다.

대학을 졸업하고 입사했던 회사의 근무 부서가 수출과였다. 스물여섯의 나이에 수출 업무를 시작한 이래로 지금까지 나는 늘 무역 영업을 하면서 살아왔다. 대기업이지만, 해외 출장을 다녀본 직원은 극소수에 불과했던 80년대 말, 입사한 지 1년 정도가 되었을 때 홍콩으로 첫 해외 출장을 갔다. 그후 매년 해외 출장을 다녔다. 몇 년 동안 홍콩은 매 분기마다 한 번꼴로 가게 되었고 태국, 일본, 필리핀, 사우디, 호주,

터키, 아부다비, 두바이, 벨기에, 독일, 이탈리아, 중국, 싱가포르 등등 여러 국가로 출장을 다녔다.

어머니가 들려주었던 사주풀이대로 신입사원 때부터 나는 비행기를 많이 타고 다니는 사람이 되기 시작했다. 요즘이야 젊은 학생들도 해외여행, 어학연수, 유학 등으로 자주 비행기를 타지만, 80년대 말 90년대 초에는 해외를 자주 드나드는 사람은 많지 않았다. 사실 그 당시 우리 집안에서 비행기를 그렇게 자주 타본 사람은 내가 유일했던 것 같다.

한국의 본사에서 6년여를 근무하는 동안 비행기를 많이 타고 다닌 셈이다. 96년 1월 상하이 주재원이 되어 중국 시장을 담당하기 시작한 후 또 셀 수도 없이 중국 내륙의 로컬 비행기를 타고 다녔다. 심지어는 월요일부터 금요일까지 매일 비행기를 갈아 타던 때도 있었다. 월요일은 베이징, 화요일은 칭다오, 수요일은 시안, 목요일은 광저우, 금요일은 청두, 토요일은 상하이, 이렇게 숱하게 중국 내에서 비행기를 타고 다녔다. 주재원 12년, 창업하여 6년여 시간 동안 중국 국내 항공기를 탔던 횟수는 셀 수조차 없다. 앞으로도 비행기를 많이 탈 게 분명하다.

2008년 창업을 한 이후로도 중국 내 비행기뿐 아니라 미국, 터키, 이탈리아, 일본, 캄보디아 등으로 비행기를 타고 다녔다. 상하이에서 한국은 수시로 드나드는 것이니 수도 없이 비행기를 타고 다니는 셈이다. 앞으로도 삼사십 년은 계속 비행기를 타고 여기 저기 세계 각지를 다니며 비즈니스와 여행을 하게 될 것이다.

　스님의 사주가 맞긴 맞았지만 맞지 않는 부분이 있어서 아쉽기만 하다. 둘째 아들 덕분에 비행기를 타겠다는 스님의 말씀을 들었던 내 어머니가 아들 덕분에 탄 비행기가 딱 한 번이었다. 생전에 딱 한 번 상하이 아들 집에 오신 후에 다시는 비행기를 타지 못하셨다. 아들은 비행기를 많이 탔는데 어머니는 딱 한 번 타셨으니 스님의 말이 다 맞지는 않았던 것이다. 너무 일찍 세상을 떠나셨던 어머니를 생각하면 마음이 아프다.

　금년 2월 아버지의 말씀이 나를 울렸다. 익산 고향에 내려가 아버지와 함께 어머니와 조부모 산소에 가서 성묘를 할 때 하신 말씀이었다. 성묘를 마치고 상하이로 돌아오는 비행기에 앉아 아버지의 말씀을 되새기는 내 눈에서 나도 모르게 눈물이 흘러내렸다. 아버지는 아들이 쓴 책이라며 아들 자랑하면서 아버지의 여동생인 나의 큰 고모에게 내가 쓴 책 〈선한 영향력〉을 주셨단다.

　고모가 밤새 읽은 후, 아버지에게 전화를 걸어 하신 말씀이

"오빠, 책 보면서 울었어. 언니가 지금 살아있다면 아들 책을 보며 얼마나 좋아했을까……." 아버지와 같이 어머니의 산소에서 성묘를 하고 걸어 나오는 나에게 아버지가 전해주었던 고모의 말씀이었다.

고모의 말씀처럼, 아버지의 마음도 그러했을 것이다. "네 엄마가 살아있다면 얼마나 좋아하겠니?" 그렇게 들렸다. 어머니 살아계셨을 때, 비행기를 많이 타실 수 있게 해드렸어야 했는데 스님의 사주가 조금 틀렸던 것인지, 내가 사주를 잘 지켜내지 못했던 것인지, 효도도 제대로 한번 해보지 못한 이 작은 아들 마음이 서럽다.

어머니가
도와주신다

세상에서 가장 아름다운 단어는 무엇일까? 나는 그 단어가 '어머니'나 '엄마'일 거라 생각한다. 따뜻한 감성과 사랑으로 충만한 대지와 같은 어머니는 '존재'의 씨를 싹 틔우고 정성을 다하여 가꾸고 키워낸다. 자신의 몸으로 잉태하고, 자신의 몸속 피를 수혈하여 세상에 자신의 분신을 내놓는다. 어머니는 자식을 위해서 할 수 있는 노력과 또한 할 수 없는 모든 노력을 다 기울인다.

어머니는 자식을 낳기 전에 자신의 삶을 살아오며 자신을 위해서 해보았던 노력의 총합보다 더 많고 더 강렬한 노력을 자식에게 기울인다. 작은 생명을 보호하고 키워내고 무탈하게 성장하도록 쏟아내는 어머니의 정성을 '조건 없는 사랑'

이라고 표현할 수 없다면 달리 무엇으로 표현할 수 있을지 모르겠다.

자식에 앞서 자신을 위하는 이기심을 가져볼 겨를도 없다. 오직 자식을 위하여 가진 것과 갖지 못한 것, 그 모든 것들을 나누어 준다. 할 수 있는 것과 할 수 없는 것을 모두 헌신하여 한 송이 꽃, 한 그루의 나무가 잘 성장하도록 자식을 키워낸다.

동물적인, 인간적인, 신적인 그 모든 상상 가능한 우주의 힘을 모두 동원하여 자기보다 더욱 건강하라고 자신보다 더욱 행복하라고, 자식을 위하여 스스로를 태운다. 마지막 호흡이 어둠 속으로 승화하는 어머니의 마지막 순간, 결국 자신은 무화되어 육화된 존재가 자식 곁을 떠날 때까지 오직 한마음이다.

어떤 힘이 우주를 창조했는지, 어떤 근원이 지구를 만들고 세상의 모든 존재를 잉태케 하고, 세세손손 이어지게 했는지에 대하여 종교의 가르침을 빌려오지 않더라도, 그 위대한 최초의 영혼이 자식을 낳은 어머니의 유전자 안에 있다는 것을 알 수 있다. 어머니가 있어서, 어머니의 어머니들이 있었고, 어머니가 낳을 어머니들이 있을 것이기에 오늘도 우주는 영원히 존재함을 이어가고 있고 이어갈 것이다.

지금 내 눈앞에 무엇이 보이는가? 데스크톱 컴퓨터, 태블릿 PC의 작은 모니터, 자판 위에서 움직이는 몇 개의 손가락들, 그 주위로 책들이 있고, 건강보조제가 있고 커피잔이 있다. 모니터 뒤로는 창문이 보이고, 창문과 모니터 사이에는 책장과 소파들이 나를 감지한다.

감각을 긴장시키면 내 뒤로 창문이 있다는 것을 알게 되고, 열린 틈새로 어머니의 마음으로 이어져 온, 태초 이래로 한 번도 멈추어본 일이 없는 바람이 나에게 스며온다. 구름을 통과한 햇빛의 분자들도 여전히 오늘 아침 내 등 뒤에 와 닿고 내 방 안을 환히 밝히고 있다. 나는 듣고 있다. 에어컨이 돌아가는 소리, 이른 아침 도로를 달리는 몇 대 자동차들의 움직임보다 훨씬 미세한 새소리, 공기가 유동하는 소리, 그 모든 소리를 감각할 수가 있다. 나는 지금 상상할 수가 있다. 내 생각이 가 닿을 수 있는 곳은 모두 나의 영역 안에 들어온다.

이렇게 지금 살아있음을 감각할 수 있는 나라는 존재의 근원은 어머니이다. 그녀의 사랑이 없었다면, 나는 지금 어디에 있을까? 태어나기 이전의 나는 나를 감각할 수 있는 것인가? 그것은 알 수 없는 일이다. 지금 내가 알고 있는 모든 것을 나에게 알려준 태초는 어머니이다. 나의 우주는 어머니로부터 시작되었다. 그녀의 우주가 나를 낳았고, 나에게는 그녀가 하나님이다. 혹은 하나님의 대리인이다.

어머니는 오래전 자식들을 떠났다. 지병으로 고생하다가 원래 오셨던 곳으로 먼저 귀향하여 쉬고 계신다. 어머니와 나는 언제 만날 수 있을까? 나 역시 돌아가면 그곳에 갈 것인가? 내가 세상에 나왔던 그곳, 어머니의 태초의 터널로 회귀하면, 어머니와 어머니의 어머니, 그 어머니의 어머니, 태초의 어머니까지 모두 만날 수 있을 것인가? 그 어머니들은 한몸이신가? 여러 몸으로 계신 것인가? 아니면 하나의 영으로 계신 것인가?

어머니가 마지막으로 내게 보인 눈물은 중환자실에 계실 때였다. 의식은 이미 지구의 대기권을 벗어나려는 경계에 계신 듯하던 때, 어머니의 팔과 발, 몸 어느 구석에도 생명이 남아 있지 않은 것 같은 그때, 오직 인공호흡기에 숨을 기대고 작별의 때를 기다리고 계셨다.

어머니의 팔을 잡고 엄마라고 불렀다. 중국에서 십 년 가까이 사느라 자주 뵙지 못한 아들이 왔습니다. 말로만 효도 하겠다고 해놓고 한 번도 효도를 못 해본 자식이 곁에 왔습니다. 어머니의 몸이 불에 타들어 가는 신문지처럼 모두 태워지고 이제 마지막 불꽃마저 잿빛 속으로 사라지려 할 때, 지난

십 년 가까운 세월을 제대로 살아온 것 같지 않은 둘째 아들이 옆에 있었다. 엄마, 제발 살아주세요. 이미 마른 통나무처럼 미동의 미동도 할 수 없는 상태로 호흡기를 달고 누워있던 어머니의 두 눈 가장 자리에서 약간의 눈물이 흘러내렸다.

몸은 누워 계셨으나 영은 그분의 몸 위에서 나를 내려다보고 계셨나 보다. 아들이 왔구나. 아들아, 잘 살아다오. 이제 헤어지지만, 하늘 나라에서도 너를 위해서 또 이 애미의 사랑을 베푸마. 어머니의 눈물은 그분의 사랑을 담고 계셨을 것이다.

보름 전쯤, 지인이 나의 사주를 풀어보았다며 내게 말해주었다. 조상님이 도와주고 있단다. 조상님 은덕으로 나의 남은 인생과 내 자식들의 삶이 복을 받을 것이란다. 작별의 눈물로 말씀하신 것처럼, 어머니는 자식인 나를 위해서 여전히 온갖 마음과 정성을 다 쏟고 계시는 것을 느낄 수 있다.

나에게 태초이셨던 어머니, 나의 존재를 만드신 사랑이 둘째를 영원히 보살펴주고 계신다. 어머니의 따뜻한 사랑 안에서, 그분의 비옥한 대지의 품 안에서 나는 오늘도 그분이 사랑하는 아들로 살아간다.

중국 대학생

요즘 상하이에 있는 대학들의 1년 학비가 대략 5천 위안 (한화 86만 원 정도), 기숙사비 등 기타 학교에 납부하는 비용까지 합하면 1만 위안 정도라고 한다. 외국 대학 프로그램을 도입하여 운영하는 일부 대학은 년 학비가 1만 5천 위안, 기타 비용을 합하여 1년에 2만 위안 정도 들어간다고 한다. 2005년 여름철에 내가 기억하던 숫자는 1만 위안이었다. 쓰촨대학에서 1년간 공부를 하려면 학비와 기숙사비, 기타 비용 등을 합하여 한 해에 1만 위안 정도가 필요하다고 했다.

그해 高考(까오카오, 중국대학입시시험)의 결과에 따라서 학생들의 대학교 합격 여부가 발표된 후 쓰촨성 쯔공시의 당 기관지 역할을 하는 쯔공일보 기자가 나를 찾아왔다. 부모님이 장애인인 여학생이 쓰촨대학에 합격했는데 입학금과 등록금을 낼 돈이 없다는 것이다. 지역에 있는 가장 큰 외자 기업의 총경리인 내가 학생에게 장학금을 주면 좋겠다고 했다. 대학에서 1년을 공부하기 위해서 드는 비용이 모두 1만 위안 정도라고 했다.

나는 우선 내 개인 돈으로 1만 위안을 기부하기로 결정하고, 회사 인사부장을 불러서 회사 내에 사용하지 않는 중고 PC가 있는지 알아보고 한 대를 회사명으로 기부하라고 지시했었다. 학생을 안타깝게 생각했던 신문기자는 단 한 번의 접촉으로 일 년 치 학비 모두와 학생이 컴퓨터 전공이기 때문에 필요했을 PC를 기부할 사람을 찾았으니 크게 좋은 일을 한 것이었다. 비서와 함께 그를 따라서 학생 집으로 갔다. 학생의 집은 멀었다. 내가 어린 꼬마였을 때 익산에서 군산 가는 전군가도의 어느 샛길로 들어가야만 나왔던 월포라는 농촌과 닮아 있었다. 그 시절 할머니 집에서 보았던 풍경과 비슷했다. 농촌에 가면 웬만하게 사는 집에는 본채의 한옥 집과는 별도로 마당 한편에 농기구나 집안의 잡동사니를 놓아두던 헛간이라는 곳이 있다.

학생의 집은 딱 그런 모습이었다. 집에 전기도 들어오지 않았다. 헛간 같은 곳에서 손과 팔이 심하게 굽어있고 입이 심하게 비틀어진 아버지와 벙어리인 어머니와 함께 사는 학생이었다. 그 여학생은 얼굴도 예쁘고 말도 잘하고 어느 곳 하나 장애가 없는 똑똑한 학생이었다.

학생은 9월이 되면 쓰촨성 성도인 청두에 있는 쓰촨대학의 기숙사에서 생활을 하게 될 것이었다. 일 년 치 학자금을 전부 주었고 컴퓨터를 주었으니, 기숙사에서 생활하고 공부하면서 필요한 용돈이야 방과 후 영어 과외를 한다든가 또는 다른 아르바이트를 하면 될 것이라 생각했다. 학생을 격려해 주면서 대학 졸업 후에 좋은 직장에 취직하여 부모님에게 효도하면서 잘 살아달라고 당부하였다.

그 다음 해 쯔공일보 기자가 또 나를 찾아왔다. 이번에는 남학생인데 윈난성 판즈화시에 있는 판즈화대학에 입학한 대학생인데 역시 장학금이 필요하다고 했다. 이 학생의 경우는 부모님이 장애인은 아니었기 때문에 직접 집을 방문하여 장학금을 주었던 것은 아니다. 기자를 통하여 장학금을 전달했고 학생은 입학하여 대학을 다니기 시작했다.

또한 가정 형편이 어려워서 대학 진학을 포기할까 고민하고 있던 고등학교 3학년 쌍둥이 여학생 두 명이 공부를 무척 잘하는 학생들인데 진학을 포기하게 되면 안타까운 일이 될 것 같다는 소식을 듣고 쌍둥이 자매 학생 집에 가서 장학금을 준 일이 있었다. 엄마, 아빠가 화재로 먼저 세상을 떠난 후 혼자 농사를 짓는 할머니와 사는 어린 초등학생에게 매월 200위안을 주기도 했다. 매월 양로원에도 한 번씩 다녔고, 가끔 보육원에도 가서 아이들에게 선물도 사주고, 성탄절에는 아이들이 난생처음 먹어보는 비프스테이크, 돈까스를 먹게 해주었다.

그렇게 살다보니 판즈화대학의 학생에게 장학금을 주었던 것을 기억하지 못했는데 학생이 내게 "쑤쑤(叔叔 삼촌)고마워요."라고 쓴 편지를 보내와서 문득 기억을 되살렸던 순간이 지금도 잊혀지지 않는다.

70년, 80년대 한국의 농촌이나 2000년대의 중국의 농촌, 2010년대의 중국의 농촌 중에서도 더한 농촌의 모습이 거의 비슷할 것이다. 도시에 사는 부모들에게는 자녀의 대학 등록금이 큰 부담이 되지 않겠지만, 설령 부담되는 가정의 경우도 어떻게든 학비를 마련할 수 있겠지만, 중국 농촌의 적지 않은 부모들에게는 자녀의 대학 등록금이 그들의 일 년 실소득을 넘어설 것이다. 가난한 농촌과 산골의 중국 부모 중에는 벌어서 먹고 살면서 저축할 수 있는 여윳돈이 없는 분들이 많다. 아이들을 화동 지역 등의 연안 도시나 광둥성 등 화남 공업 도시로 보내어 농민공이라고 불리는 신분으로 살게 할 수밖에 없는 집안들이 많다.

쓰촨대학에 입학했던 여학생이 1학년을 마치고 여름 방학이 되어, 쯔공시의 부모 집으로 와 있겠다고 생각한 나는 직원을 시켜서 학생을 회사로 불렀다. 그 학생을 격려한 후 회사에 있는 비슷한 또래의 여직원 몇 명과 함께 저녁을 사주었다. 그리고 가을에 시작하는 2학년의 학자금 1만 위안을 학생에게 쥐어주었다. 시골 출신의 여대생들이 학비를 쉽게 벌려고 밤이면 술집에 나가는 경우가 많았다. 적어도 내가 장학금을 주었던 그 학생만큼은 밤에 출근하여 학비를 벌어야 하는 상황에 들어가지 않기를 바라면서 학비를 건네주었던 것이다.

그 다음 해 7월, 한국 본사로 귀임하도록 인사 이동 발령을 받았다. 연말도 아니고 연중에 받은 날벼락 같은 인사 통보를 받으니 앞날이 깜깜해졌다. 한국에 가서 어떻게 살지 막막해졌고 중국을 떠나기도 싫었다. 마음이 갑자기 무너진 상태에 빠져들었고 나는 총총걸음으로 바삐 떠나는 사람 모양새로 쯔공과 작별을 하고 그곳의 모든 것을 잊기로 했다. 한 달이나 두 달만 더 있다가 인사발령을 받았으면 그 학생의 3학년 학비를 주었을 것이다. 학생의 모습이 눈에 아른거렸지만, 내가 원해서 본사로 발령을 청한 것이 아닌 상황이었다. 나는 소위 갑자기 물을 먹었다는 사람이 되어버렸으니 내 젊은 열정을 바쳐서 사랑했던 쯔공의 모든 것을 내려놓기로 했던 것이다.

그 학생은 2009년 6월에 대학을 졸업했을 것이다. 지금 나이가 거의 서른 살이 다 되어 있을 그 학생은 지금은 그녀가 되어 어느 직장에 다니고 있지 않겠나 싶다. 스스로 돈을 벌어 장애를 가진 엄마 아빠에게 용돈을 부쳐주고 효도를 하는 예쁜 여성이 되어 있으리라 상상해본다. 다시는 만날 기회가 없겠지만, 중국 대학을 떠올리니 그 여학생과 판즈화 대학의 남학생, 쌍둥이 여고생들, 초등학생의 기억이 머리를 스쳐간다.

전라북도 상하이 사무소장이 나에게 중국 대학생 1,000여 명 앞에서 중국어로 강의해달라고 요청을 해왔다. 전라북도 정부와 광동성 칭웬이라는 도시에 있는 대학에 한글학당을 세우기로 했다고 한다. 한국어 교사 자격증이 있는 한국 선생님들이 파견되어서 중국 대학생들에게 중국어를 가르칠 계획이란다. 벌써 1,300명이 신청을 했다고 한다. 9월 24일 개원식이 있는데 1,000여 명 참석할 예정이라고 한다. 학생들에게 어떤 내용을 강의해줄까 SNS에 물어보니 많은 지인들이 좋은 의견을 주었다.

혹시 이번에 만나게 될 칭웬시 대학생들 중에서 내가 장학
금을 주고 싶은 학생을 만나게 될지, 그런 인연이 또 나에게
나타날지 삶이 내게 가져다 줄 선물을 기다리듯 숨을 고른
다.

집을 처음
마련했던 기억

어제 점심에는 회사의 가장 큰 언니, 내가 늘 왕지에라고
부르는 그녀와 함께 홍첸루에 있는 카페베네에서 이야기를
나누었다. 아침 일찍 창수에 있는 우리 회사 공장에 가서 손
님에게 공장을 안내하고 다시 상하이 홍첸루로 돌아와 점심
을 먹었다. 손님을 동행하여 오후 비행기로 홍차오 공항을
이용하여 칭다오에 가야 하는데 아직 시간이 남아있었다. 점
심은 롱밍루에서 이샨루와 교차하는 삼거리 가까운 곳에 있
는 조선족 동포 부부가 운영하는 조그만 한식 식당에서 먹었
다.

왕지에는 카페베네 뒤편에 있는 아파트 '풍도국제'를 사
지 않았던 것을 후회한다고 말했다. 십여 년 전에 이 아파트

가 처음 분양될 때 자기 남편이 사고 싶다는 것을 그냥 흘려 들었다는 것이다. 상하이의 주택값이 지난 십여 년 사이 서너 배 정도 뛰었다. 그때 샀어야 했는데 원금과 이자를 낼 생각하니 부담이 커서 사지 못했다며 아쉬운 표정을 지었다. 나를 더 일찍 만나서 지금의 월급을 받고 있었다면 풍도국제를 살 수 있었을 것이라며 말치레하는 것을 잊지 않았다.

왕지에의 남편은 내가 근무했던 회사의 상하이지사 운전사였다. 주재원이었을 때 나는 그녀의 남편이 운전하는 차를 타고 다녔다. 남편이 근무하는 회사의 직원들 이름을 잘 알고 있는 그녀에게 무심코 내가 집을 사도록 도와주었던 직원 이야기를 했다.

지야쮠이라는 남자 직원은 우루무치가 고향인 한족이다. 허베이성 스좌쫭에서 국영업체에 다니다가 2001년에 상하이로 와서 우리 회사에 취직했다. 2002년 어느 날, 그가 나를 찾아와서 내환선 안에 있는 아파트를 사려고 한다고 말했다. 백만 위안 정도 되는 집인데 칠십 프로를 대출 받을 수 있으니 삼십만 위안 정도만 있으면 살 수 있다고 했다. 자기 아버지가 돈을 보태주었는데 돈이 조금 부족하니 회사에서 대출을 해주거나 월급을 가불해줄 수 있냐고 물었다.

나는 흔쾌히 대출을 해주었고, 그해 말에는 대출해주었던 돈을 성과급으로 처리하여 아예 이 친구에게 주었다. 쥐야준은 집을 산 후에 월급을 받아 원금과 이자를 내면서 생활이 곤궁해지기 시작했다. 옆에서 지켜보던 나는 그 친구가 안타까워 다음 해에 월급을 올려주었다. 그는 내가 이렇게 해줄 정도로 일을 잘하던 우수한 직원이었다. 2013년 현재 상하이 내환선 안에 있는 그의 집은 최소한 오백만 위안(한화 9억) 이상일 것이다.

내 입이 주책이다. 나는 이어서 쓰촨성 쯔공시에 있는 사천 휴비스라는 회사에서 총경리를 하던 시절의 이야기를 했다. 내가 발탁하여 과장으로 승진시켰던 동포직원들이다. 유 과장은 구매과장이었고 이 과장은 총경리판공실 과장이었다가 청두사무소의 과장으로 부서를 옮겨서 영업을 했다. 이들은 쯔공시 현지에서 한족 여자를 만나 결혼을 했다.

어느 날 나는 그들을 총경리실로 불러놓고 젊을 때 집을 사놓는 것이 좋겠다고 이야기를 해주었다. 돈이 없어서 못 산다고 하는 그들에게 계산을 해주었다. 지금 집값이 평당 천 위안인데 100㎡의 집값은 십만 위안이고, 70% 대출을 받으면 삼만 위안만 있으면 되는 것 아니냐고 물었다. 가진 돈이 모자란다고 하는 유 과장과 이 과장에게 각각 2만 위안을 내 개인 돈으로 빌려주고 당장 집을 사게 했다. 내가 한국으로 인사발령을 받고 쯔공시를 떠난다는 소식을 들은 그들은 자기 월급과 아내 월급을 아껴 저축한 돈으로 빌려준 돈을 갚았다. 그들의 집은 지금쯤 최소 서너 배 이상은 올랐을 것이다.

자랑하는 것을 억제하지 못한 나의 이야기를 듣던 왕지에는 자기 남편도 나를 찾아서 돈을 빌려달라고 했어야 했다며 아쉬운 표정을 드러냈다. 이런 잡담을 나누다가 칭다오로 날아가는 비행기에 올랐다. 내가 왕지에와 나누었던 이야기들을 다시 생각하면서 왕지에의 아들이 미국으로 유학을 가면 어떻게든 도와줘야겠다고 생각했다.

더 먼 시절의 기억이 떠올랐다. 세 명의 직원을 도와서 그들이 집을 사도록 해주었고, 그들의 집값이 많이 올랐으니 내가 그들이 돈을 벌도록 해주었구나, 라는 생각을 하면서 나를 도와준 분을 떠올렸다. 대학을 졸업하고 신입 사원으로 근무를 시작한 지 겨우 서너 달 정도 밖에 안 되었던 어느 날, 같이 근무하는 선배 고기환 대리가 같이 점심 식사를 하자면서 나보고 도장을 가지고 따라 나오라고 했다.

그는 나에게 꼬리곰탕을 사주더니 회사 빌딩 뒤에 있던 주택은행으로 가자고 했다. 은행 창구로 가더니 자기 지갑에서 십만 원을 꺼내어 창구의 직원에게 주고 나에게 도장을 꺼내어 찍으라고 했다. 내 이름으로 주택청약저축을 가입하게 만든 것이었다. 나는 아직 신입사원이라 청약저축이란 것이 있는지 어떤지도 잘 모를 때의 일이다.

은행 문을 나서면서 그는 나에게 십만 원은 나중에 돈 생기면 갚으라면서 앞으로 매달 월급에서 십만 원씩 청약저축에 넣어서 빨리 아파트를 장만하기 바란다고 말해주었다. 덕분에 나는 입사 동기 중에서 가장 빨리 주택청약저축 1순위가 되었고 가장 빨리 아파트에 당첨이 되었다.

내가 신혼 때 살던 신림동 반지하방, 한 시간 반이나 걸려서 출근을 해야 했던 당시의 고양군 벽제의 연립 주택 전세 생활을 빨리 마감할 수 있게 해준 고기환 대리, 지금은 목동에 회사를 두고 있는 고 사장님이 기억의 모퉁이 어딘가에서 이렇게 문득 떠올라왔다. 그분 덕분에 입사 동기들 가운데 가장 빨리 내 집을 마련할 수 있었다. 그때가 서른 살이 막 되어가던 때였다.

내가 직원들을 도와준 것은 그보다 훨씬 이전에 나를 도와주었던 고기환 사장이 나를 통하여 그들을 도와준 셈이다. 나는 선배로부터 받았던 도움을 내 직원들에게 내리물림으로 전달한 것이다. 내 직원들이 집을 사게 된 것은 내가 도와준 것이 아니고 고 사장이 그들을 도와준 셈이었다.

고 사장의 선한 영향력이 나에게, 그리고 나를 통하여 다시 중국의 직원들에게 전달된 것이다. 세월이 흘러가면서 내 직원이었던 이들 세 친구들이 가끔은 내가 집을 사도록 도와주었던 일을 생각해낼 수도 있을 것이다.

왕지에와 옛날 이야기를 한 덕분에 기억의 창고에서 내가 첫 집을 장만했던 추억을 문득 꺼내보았다. 고 사장에게는 평생 감사하면서 살아갈 일이다. 그의 선한 영향력은 또 세 명의 중국 국적의 직원들에게까지 미쳤다. 선한 영향력은 이렇게 소리 없이 전파된다는 것, 고 사장으로부터 배운 교훈이며, 그에게 감사한다.

관계를
대하는 방법

무엇 때문에 가끔씩 마음 바다에 거친 해일에 일어나는 것인가? 고등학교 시절이었던가, 교과서에서 보았던 독일 작가 안톤슈낙이 쓴 <우리를 슬프게 하는 것들>이란 글의 제목이 오래 기억에 남는다. 가끔씩 우리를 슬프게 하는 것은 다름 아닌 사람일 때가 있다. 사람이 사람을 슬프게 하고 화나게 하고 힘들게 하고 심지어 사람이 사람을 죽게 만드는 것이 현실이다. 그런가 하면, 사람이 사람을 기쁘게 하고 행복하게 하고 용기를 갖게 하며 사람이 사람을 살려내는 것이다.

인간관계를 어떻게 잘할 것인지, 대인 관계를 잘해서 성공하는 방법을 가르치는 인간관계 처세술에 대한 책들이 셀 수 없이 많다. 지금 이 시각에도 SNS를 통하여 사람과의 관계를 어떻게 하면 잘할 수 있는지에 대한 글들이 공유되고 있다. 어떻게 하면 사람들과의 관계를 잘할 수 있는가의 문제에 대한 책으로 말하면 1936년에 출판된 〈카네기의 인간관계론〉을 떠올릴 수 있을 것이다. 한편, 인간관계는 기원전으로 거슬러 올라가 우리 인류가 사회를 구성하여 공동생활을 시작했을 때부터 중요한 문제였을 것이다. 오늘날 우리가 잘 알고 있는 공자 왈 맹자 왈 하는 말씀에 인간관계에 대한 가르침도 많이 있듯이 말이다.

세상에 태어나 혼자 살 수 없는 사람이라는 존재, 우리는 그런 존재이다. 어린 시절 어머니와의 첫 만남을 시작한 이후, 성장기를 거치고 학창 시절을 건너오며, 성인이 되고 사회의 구성원으로 또한 가족의 한 사람이 되어 사는 동안 수없이 많은 사람 관계 속에 놓여 살아왔다. 사람들 사이에 살기 때문에 각자에게 주어진 관계라는 환경에서, 그리고 수시로 변하는 환경의 문맥에서 여하히 잘 해내느냐가 인생을 행복으로, 성공으로 이끌 수도 있고, 불행하고 실패의 길로 몰아세울 수도 있다.

관계란 '나'와 '타자'의 관계다. 우리는 흔히 "나도 나를 잘 모르겠다."라는 말을 하곤 한다. 맞는 말이다. 내 스스로 곰곰이 생각해보아도 내가 누구인지, 나는 무엇을 원하는지,

나는 대체 어떤 사람인지 알다가도 모르겠다. 그래서 삶의 그늘이 깊은 것이리라. 깊은 늪에 빠진 듯, 어두운 산 속에서 길을 잃은 듯 방향을 잃을 때가 있다. 그럼, 타자는 어떠할까? 내가 그를 알고 있을까? '나'라는 인식의 주체는 '너' 혹은 '그'라는 피인식의 대상을 아는 것처럼 판단할 때가 많다.

그는 어떤 사람이다. 그녀는 어떻다. 우리는 늘 이런 식으로 타자에게 내 방식의 프레임을 씌운다. 아니 내 눈에 고정관념, 혹은 내가 옳다는 전제의 고정 창틀을 만들어 두고, 오직 그 프레임 안에서만 상대를 바라보는 경우가 대부분이 아닐까 싶다. 그런데, 내가 나도 모르는데 남을 안다는 것이 가능한 일인가? 그 역시 그 자신을 모를 것이다.

내가 나를 모를 때, 남들은 모두 자기 자신을 알고 있는 사람들이라고 말할 수 없을 것이다. 나도 나를 모르고, 그도 그 자신을 모르는 존재가 사람이다. 그러할진대 우리는 나는 나를 잘 알고 있고, 타자인 상대방도 잘 알고 있다고 생각한다. 어떤 상황이 발생하면, 나는 나의 기준에 의해서 너를 판단하는 것이다. 너는 잘못했고 나는 억울하다. 너는 용서받을 수 없고, 내가 용서할지 말지를 생각해보겠다. 우리는 늘 이런 식의 사고에 익숙해있는 것이다.

타자가 나를 화나게 했다거나 나를 속였다거나 슬프게 했을 때, 우리는 습관처럼 나를 기준으로, 오직 내 입장에서만 판단을 하고 반응을 해서는 안 될 것이다. 그런 불편한 상황이 왜 발생할 수밖에 없었는지 상황의 앞뒤 문맥을 살펴보거나 그 시공간의 중력 관계를 파악해보는 것이 맞을 것 같다. 그가 나에게 반응한 것은 혹은 영향을 미치고 있는 것은 오직 나라는 "그에게 있어서는 특정한 타자"인 사람 때문일 것이다. 그 역시 그가 마주한 타자가 내가 아니고 다른 사람이었다면 그러한 상황에 놓이지 않았을 수도 있다. 이런 생각을 바탕으로 사람과 사람의 관계를 잘하는 방법을 정리해보고 싶다.

첫째, 나는 나를 모른다. 나는 너를 혹은 그를 모른다.

둘째, 상황의 문맥, 작용과 반작용 관계, 시공간의 중력 법칙 등을 생각해볼 필요가 있다.

셋째, 타자의 입장이 되어 타자를 대하려고 노력해야 한다.

서로 다른 다양한 모든 관계 속에서 어떻게 하면 인간 관계를 잘 할 수 있느냐, 하는 논리적 기법이나 기술 이전에 오늘 나는 철학적인 질문을 던져보고 싶다. 인생은 유한한데, 왜 누군가와 불편하게 살아야 하는 것인가? 그런 관계가 필멸의 인생, 언젠가 이르게 될 죽음 앞에서 의미가 있는 것인

가? 오늘이 삶의 마지막일 수 있다는 생각으로 나를 힘들게
하는 사람들을 용서하고, 그들을 사랑하고, 나 자신도 사랑
한다면, 인간 관계라는 기술을 책을 통하여 배울 필요가 있겠
는가?

윤동주의 <서시> 가 떠오른다. '나는 잎새에 이는 바람에
도 괴로와' 했다. 그런 작은 나뭇잎 사이에 부는 바람조차
도 내 눈에 들어온 이유, 내 피부를 매만지며 지나가는 이유
를 생각해본다. 우주 전체가 알 수 없는 신비의 노력을 기울
인 결과, 그 시점 그 공간에서 내 눈에 살랑거리는 바람이 되
었을 것이다. 잎새는 또 어떠한가? 나를 위해서 바람과 속삭
이고 있는 것이 아니겠는가? 이렇게 멋진 우주에서 사람 관계
때문에 번민에 사로잡히는 것은 인생의 낭비가 될 것이다. 자
연의 마음, 그 아름다운 마음으로 인생을 살면 되지 않겠는
가? 모두가 인연의 명령으로 나에게 왔을 것이다. 그런 마음
으로 사람 관계를 받아들이면 되지 않겠는가?

인생 리부팅을 열망하는 당신에게

　뜨겁게 열정을 태우던 진녹색의 기운들이 쌀쌀

한 찬바람에 멜랑콜리한 표정을 짓더니 익숙했던

자리를 떠나기 시작한다. 낙엽들도 글쓰기라는 것

을 배웠을까? 몸을 이리저리 마구 뒤집으며 바람

에 날리는 모습이 마치 길 위에 글을 쓰는 것 같

다.

2부 —— 삶을

리부팅

하는법

삶이라는
빈 종이

　수요일 아침 태양이 뜨겁게 작렬한다. 한국 손님은 푸동 공항에 도착하자마자 상하이의 날씨에 혀를 내두를 것이다. 한국에서는 30도를 약간 웃도는 기온에도 덥다고 난리인데 무려 40도 가까이 되는 상하이의 날씨 속에 그는 3박 4일의 일정을 나와 함께 할 예정이다. 유길문 작가를 공항으로 마중나가야 하는 오늘 아침, 포동 공항으로 출발하려면 1시간 정도 남았다. 오늘은 오랜만에 늦게 일어났다. 사무실 책상에 앉으니 시간은 7시 39분을 지난다. 최근에 써놓았던 글들을 살펴보느라 새벽 2시가 다되어 잠을 잤던 탓이다.

　유 작가는 오늘 오후 상하이에서 교민들에게 공개강좌를 한다. 제목은 "시너지로 승부하라"이다. 그는 지금까지 여섯

권의 책을 출판했다. 지난 몇 년간 1년에 한 권씩 책을 냈고 앞으로도 매년 1권 이상씩 책을 쓸 예정이라고 한다. 내가 세운 목표를 그는 이미 실천 중이다. 유 작가는 금요일 저녁에도 한 번 더 강의를 할 예정이다. 제목은 "나는 왜 책을 쓰는가?"이다. 유길문 작가에게 두 차례 강의를 듣고 몇 차례 함께 식사하게 될 시간이 눈앞으로 다가왔다. 회사에서는 본부별로 임직원들과 전월 실적과 당월 계획에 대한 회의도 진행해야 한다. 낮과 밤으로 며칠간 계속 바쁜 일정이다.

그는 왜 매년 책을 쓰고 있는가? 나는 왜 매년 책을 쓰고 싶어하는가?

이 질문에 대해 오늘부터 사나흘 그와 함께 대화를 나눠 볼 수 있을 것이다. 마침 금요일 저녁 강의의 제목도 "나는 왜 책을 쓰는가?"이니 내가 책을 쓰려는 이유와 비교할 수 있는 좋은 기회가 될 것이다.

그럼, 나는 왜 책을 쓰려고 하는가?

이 질문은 마치 "왜 삶을 살려고 하는가?"라는 질문처럼 들린다. 과장이 지나친 비약인지도 모르겠다. 나는 내가 원해서 태어났는지 어떤지를 알 수 없다. 부모님이 지금의 내 형상을 가진 나를 원해서 나를 태어나게 했을 리도 없다. 하나님을 믿는다고 하더라도 그분의 뜻을 알 길이 없다. 불교의 윤

회를 믿는다고 하더라도 내가 세상에 태어나기 이전에 나는 어떤 존재였는지 알 수 없다. 어느 날 툭 하니 세상에 던져졌던 것이다. 그렇게 무의식적으로 살기 시작했고, 성장하면서 의식을 갖는 하나의 삶이 되었다. 그 삶을 살아가는 습관을 매일 반복하고 있는 것이다. 우선은 살기 시작했고 그다음에 내가 살아가는 이유가 무엇인지 생각하기 시작한 것이다.

죽지 않기 때문에 살고 있는 것이라는 대답은 평범하지만, 절대적으로 진실한 대답이 될 것이다. 자꾸 살아가는 이유를 생각하는 사람이 왜인지 역설적으로 아무 생각이 없는 사람처럼 보일지도 모른다. 살아가는 이유를 찾아서, "나는 이런 이유로 살아간다."라고 말할 수 있어야 그럴듯한 인생을 사는 것이라고 우리는 생각하고 있다. 한 사람의 존재로서 삶에서 부딪치게 되는 온갖 감정이라는 색채의 현란함과 어지러움을 극복하면서 잘살고 있고, 잘 살아가고 있으며, 마지막에는 잘 살았다, 라는 자타의 평가를 듣고 싶은 것은 나 혼자 바라는 것이 아니다.

잘 산다는 것은 무엇을 필요로 하는가?

성공인가? 행복인가?

성공하고 행복하게 사는 것이 잘 사는 것이라면, 무엇이 성공이고 행복은 또 무엇인지 곰곰이 생각해 보아야 한다. 나는 지금 성공했는가? 나는 지금 행복한가? 이 문제도 느껴 보아야 한다. 성공과 행복, 이 두 단어는 적어도 하루에 두 끼의 식사를 하는 것처럼 매일 나와 같이하는 단어들이다. 이 단어들의 정의는 무엇인지, 나는 그런 가운데 있는 것인지 자주 헷갈린다. "나는 왜 책을 쓰고 싶은가?"라는 질문 역시 마찬가지이다.

나는 태어났을 때 텅 빈 종이었다. 하루하루, 일년일년 살아오면서 아무것도 없는 백지 위에 한자씩 적어나가다 보니 오늘의 이 나이가 되었을 것이다. 50년 동안 적어온 셈이다. 그동안 인생이라는 종이에 적어온 글들을 프린트한다면 과거라는 도서관에 쌓인 문장은 얼마나 많겠는가? 앞으로 살아갈 50년 동안, 내일이 오기 전까지는 아직 열어보지 않은 빈 페이지에 불과한 삶이라는 공간에서 나는 계속해서 살아가고 또 계속 뭔가를 적어가는 삶을 살게 될 것이다. 산다는 것은 글로 쓰든 안 쓰든 발길을 적어가는 행위이다. 지금까지 적어온 글들, 앞으로 적어갈 글들, 이 모두를 책으로 편집하여 출판한다면 작은 도서관 하나쯤은 채울 수 있지 않을까? 그래서 아프리카 어느 나라의 속담이 있는가 보다. 노인 한 사람이 죽으면, 도서관 하나가 불태워 없어지는 것과 같다고.

내가 책을 쓰려는 이유는 내 삶의 한순간 한순간이 모두 빈 종이에 쓰는 글과 같기 때문이다. 그러한 글들을 책으로 만들어 보겠다는 것이다, 라고 대답하면 맞지 않을까?

살아가는 이유가 무엇이냐고? 빈 종이에 글을 쓰기 위해서라고 대답하고 싶다. 왜 책을 쓰고 싶냐고? 인생의 여정을 가는 길에 어깨의 짐이 무거우면 몇 권쯤의 책을 세상에 내려놓아야 몸이 가벼워질 것이니 책을 내는 것이라고 말해보고 싶다.

잘 산다는 것은 무엇인가? 내가 쓴 책들을 읽는 나의 독자들이 내 글들로부터 위안을 받고 격려를 받고 용기를 얻도록 하는 것이 아닐까? 그들에게 그런 존재가 되려면 나는 이미 써놓은 책보다 앞으로 쓸 책을 더 잘 써야 하지 않을까? 진실한 글이 담긴 문장으로, 성공이란 무엇인지 참된 뜻을 밝히는 내용으로, 참된 행복이란 무엇인지 느끼게 하는 내용으로.

나는 오늘도 살아간다. 미지의 빈 공간 속으로 한발한발 내딛는다. 모든 발걸음은 흰 종이에 쓰인 글이 되어간다.

야간 열차

　뜨겁게 열정을 태우던 진녹색의 기운들이 쌀쌀한 찬바람에 멜랑콜리한 표정을 짓더니 익숙했던 자리를 떠나기 시작한다. 낙엽들도 글쓰기라는 것을 배웠을까? 몸을 이리저리 마구 뒤집으며 바람에 날리는 모습이 마치 길 위에 글을 쓰는 것 같다. 모든 것을 내려놓은 것처럼 나무를 내려놓고, 봄과 여름 동안 품어왔던 열정을 식히며 문장을 적고 있는 지도 모를 일이었다.

　밤이 깊다. 별들이 나를 부르는 소리가 들리는 듯싶다. 어린 왕자가 너를 보고 싶다고 하니까 빨리 기차를 타고 오라고 내게 몸짓을 하는 것 같다. 기차가 오려면 시간은 좀 남아있는데 말 붙일 사람도 없는 텅 빈 대합실, 오십 정도의 나이로 보이는 매표원 한 사람. 그는 나에게 별 관심이 없는 듯하다.

내가 지금 기다리는 기차는 어디로 가는 기차일까? 은하철도 999인가? 비현실의 세계로 달려가는 기차인가? 정말 이런 기차가 온다면 어린 왕자를 만나러 가고 싶다. 서울랜드 은하철도 888인가? 인생을 무지하게 흔들어대고 겁주고 가슴 졸이게 하고, 숨 쉬기 어렵게 하다가 결국은 출발점인 땅으로 도착하는 그런 기차인가? 이런 기차라면 내가 이미 타고 있는 기차가 아닐까?

꾸벅꾸벅 졸면서 왔는지 비둘기처럼 날아서 왔는지 야간 완행열차는 〈선한 영향력〉을 탈고한 역에 멈추어 섰다. 무관심한 채 잠들어 인사도 잊은 몇 그루 나무들에게 아쉬운 작별의 눈길을 주면서 기차에 올라탔다. 기차 안은 승객도 없이 텅 비어 있었다. 달리는지 걸어가는지 느릿느릿 가는 기차 창밖을 보노라니 땅 위에는 등불들이 하늘에는 별들이 자꾸 내 뒤쪽으로 사라져 간다. 기차 머리는 길지 않은 몸을 이끌고 앞으로 달리는데 내 머리는 나를 끌고 자꾸 뒤로 달린다. 지난 세월, 왜 살아왔는지 생각해본다. 딱히 그럴싸한 신념이 있었던가? 아니면, 태어났으니 그냥 살아온 세월이었는가?

기차는 생각 없던 유년 시절로, 꿈 많던 청년 시절로, 삶의 무게를 짊어졌던 중년의 시간들 속으로 자꾸 달려간다. 의미 있게 살아보려고 내일이라는 목적지를 향해 기차를 탔는데, 지금 기차는 자꾸 나를 끌고 과거로 내달린다. 창밖으로 스쳐 가는 어둠에 몸을 맡기며 눈을 감으니 생각들이 마음속 글들이 자꾸 과거로 달린다.

문득 창밖을 보니 어느새 기차는 많은 역을 지났다. 어린 왕자가 부르는 소리에 귀신 들린 듯 올라탄 이 기차는 어디를 향해 가는 것인가? 한대수의 행복의 나라로 가는 걸까? 그런 나라가 없는 것은 뻔한 것인데, 그럼 대체 이 기차는 어디로 가는 걸까? 생각은 과거 속을 헤매다가 가끔씩 기차가 달리는 앞쪽을 본다. 이대로 지구 한 바퀴 돌면 좋겠다는 생각을 해보면서 웃음을 지었더니 졸음이 밀려온다. 그래, 눈을 감고 생각해보자. 나는 어떤 역들을 지났고, 앞으로 어떤 역들을 또 지나갈 것인지 헤아려보자.

그러다가 다시 꾸벅 잠이 들었다. 눈을 깨니 아침이 되었다. 기차에서 내려야했다. 차장이 내 몸을 흔들면서 한 마디 한다. "도착했으니, 내리세요." 나는 술이 깨듯 잠에서 몸을 일으키며 물어본다.

"여기가 어디예요?"

차장 말이 재미있다. "여기는 '당신의 진정한 모습'이라는 역입니다. 사람들은 모두 자기를 찾기 위해서 이 도시에 오지요. 선생님도 앞으로 자기를 찾기 바라요. 이곳에서는 모두 글을 써야 합니다."

나무 그늘에서

아침에 일어나 SNS를 열었다. 어느 분의 담벼락 글이 오늘이 5월 1일이라는 사실을 알려주었다. 곧이어 서울에 있는 지인 한 분이 메시지를 보내왔다. "하나님과 함께 축복받는 좋은 5월 되세요." 교회 장로이신 분의 인사였다. 아마 많은 분들에게 동시에 발송한 메시지인 것 같다. 지난 주의 피로가 깔끔하게 가시지 않은 듯 상쾌하지 않은 몸 컨디션을 느끼며 커피를 드립하기 시작했다.

노트북으로 클래식 음악을 켰다. SNS의 글들을 살펴보고, 미국과 서울에 있는 아들과 딸에게 안부 메시지를 보냈다. 글쓰기 동아리인 '작가의 방' 멤버들이 공유하는 에버노트의 노트를 열었다. 동료 한 사람의 글을 읽었다. 그의 나이가 불혹이란다. 나이 마흔 살이 지나더라도 수많은 유혹에 빠질 수 있으니 스스로를 잘 관리하고 자기를 인정하는 삶을 살아갈 수 있기를 바란다, 라고 짧은 댓글을 적었다.

나는 작년 여름 이후 '작가의 방' 에버노트를 통하여 글쓰기 훈련을 해왔다. 동아리 회원들은 공유하는 에버노트에 글을 써서 올린다. 회원들은 글을 읽으며 격려하는 댓글로 글쓰기를 응원한다. 작년에 이어서 올해는 '작가의 방 2기'라는 이름으로 새로운 회원들과 함께 글쓰기 훈련을 나누고 있다. 우리는 글쓰기 동아리 회원들을 작가라고 부른다.

동료 작가들이 올린 문장들을 보면서 배우고 있는 중이다. '작가의 방' 소통 과정을 통하여 글을 쓰는 동료 작가들은 서로를 격려하고 있다. 칭찬은 고래도 춤추게 한다는 책 제목처럼, 같이 나누는 칭찬과 응원으로 이어진 공간이다. 글과는 먼 삶이라고 생각했었다. 글을 쓰는 재능은 없다고 생각했던 우리들은 서서히 글 쓰는 삶에 익숙해지고 있다.

2013년 11월 25일, 만 50살의 생일을 맞이하여 저자 '박상윤'의 이름으로 〈선한 영향력〉을 출판하여 세상에 내놓게 되었다. 〈선한 영향력〉에 썼던 에필로그의 문장 하나가 떠오른다. "이 책을 독자들에게 내어놓으면, 나는 다시 텅 비워지고 새롭게 시작해야 한다." 그랬다. 나는 〈선한 영향력〉을 쓴 이후로 내 인생을 새롭게 시작했다. 세상에 나가 독자들을 만나기 위해 서점으로 발을 내딛은 내 책에 대해서 개성이 다르고 생각이 다른 독자들이 어떤 반응을 보일지 마음을 쓰는 것은 옳지 않다고 생각했다. 많이 읽히는 책이 되었든 조용히 얼굴을 내밀었다가 말도 못하고 부끄러운 어둠에 묻히는 책이 되었든 괜찮다고 생각했다. 내가 할 일은 오직 마음을 텅 비우고 새롭게 시작하는 일이라고 생각했다.

동아리에서 배운 것처럼, 오직 나는 쓸 뿐이다. 나탈리 골드버그가 강조하는 것처럼, 뼛속까지 내려가서 쓸 뿐이다. 작가의 방 1기, 동아리를 지도했던 이재규 작가가 워크숍을 시작할 때 회원들에게 같이 읽도록 했던 문장처럼, "날마다 무너지고 날마다 새로워지도록" 오직 써내려갈 뿐이다. 무엇이든 마구 써야한다. 말이 되는 것이든 혹은 말도 되지 않는 것이든 상관없다. 오직 내 마음이 편해질 때까지 쓰는 것, 그 안에서 나는 성장할 수 있다.

'작가의 방' 모임에서 글을 나누며 웃고 우는 시간들이 여름 날 나무 그늘에서 깜박 잠이 들 때 꾸는 백일몽인지도 모른다. 그렇더라도, 인생을 바꾸는 글쓰기 훈련을 함께하는 도반들의 아름다운 우정이 고맙다. 글을 쓰고 있는 이 순간, 자판 위에서 열심히 움직이는 손가락을 받아주는 노트북 모니터 뒤로 읽어야 할 책들이 내게 눈짓을 한다. 읽어 달라고 말하는 듯하다. 책을 읽고, 글을 쓰고, 이렇게 살아가는 삶이 나무 그늘에서 깜박 잠이 들다 깰 때처럼 덧없는 꿈이라 해도 나는 그런 달콤한 삶을 즐기고 싶다.

이른 아침
사무실에서

　혼자만의 공간으로 약간은 차가운 바람이 창문 틈을 비집고 들어온다. 사무실 안으로 들어선 새벽의 냉기는 밤새 숙면을 취하지 못했던 몸의 컨디션을 끌어올리기에 딱 좋은 정도이다. 드뷔시의 "목신의 오후에의 전주곡"을 듣고 있다. 곡의 이름이 데스크톱 모니터에서 소리 없이 미동을 하고 있다. 큰 모니터 한 켠에 기대어 태블릿 PC의 모니터를 열어놓고 에버노트를 켰다. 매일 아침 그들의 호흡을 읽으며 점호를 하는 기분이 된다. 밤사이 작가들이 올려놓은 새로운 글들을 읽고 몇 줄의 댓글을 달아본다. 글 속에는 사람이 있고 삶이 있다. 철학이 있고 영혼이 있다. 마음이 있고 꿈들이 있다. 수업료를 내지 않고도 매일 새벽에 들을 수 있는 그들의 강의는 세상의 복잡한 뉴스에 비하면 내 삶을 지극히 맑고 청정한 곳으로 인도한다.

오늘 새벽에도 나 역시 그들과 함께 동료 의식을 느끼며 글을 쓴다. 때로는 이미 떠오른 쓸거리가 있어서 쓰기도 하고, 때로는 생각나는 글거리는 없지만, 써야하니까 쓰기 시작한다. 생각이 글을 쓰게 하지만 글을 쓰다보면 생각이 가닥을 잡아가기도 한다. 생각이 먼저인지 글이 먼저인지, 마치 닭이 먼저인지 계란이 먼저인지 모르는 질문처럼, 글과 생각은 서로 몸을 앞뒤로 섞으며 온다.

생각이라는 것을 몸에서 떼어낼 수가 없듯이, 글 쓰는 생활, 거창하게 말하자면 글 쓰는 삶을 인생에서 잘라낼 수가 없다. 책 쓰기를 가르쳐주는 책들을 읽다보면 가장 기본이 되는 가르침이 있다. "무조건 쓰라"는 것이다. 어둠 속에서 존재조차도 사라진 듯 잠들어 있다가 새벽이 밝아오면 일어나게 되는 것, 이것은 생물학적 존재로서 살아있음을 증명하기 위한 본성이다. 글쓰기도 그러하다. 새벽이 오면 써야 한다. 아침밥은 굶을 수 있으나 글쓰기를 굶을 수는 없는 일이다. 밥 한 끼 안 먹으면 몸이 날씬해지겠지만, 글을 한 끼 굶으면 심각한 결과를 맞게 된다. 몸과 마음이 서로를 이탈하고 영혼이 말라버릴 것이다. 그래서 나는 매일 새벽에 글을 쓰기로 한다.

음악은 멘델스존 피아노 3중주 1번으로 넘어가 있다. 머릿속에 떠올려보는 사무실 건물 주변의 풍경들 속에서 아직은 차량 소리, 사람들이 출근하는 소리가 들리지 않는다. 그들은 하루를 늦게 시작하는가 보다. 나보다 밤을 더 늦게 마무리했을 것이다. 나도 젊은 날에는 밤을 늦게 정리했었다. 젊다는 것은 그런 것인가 보다. 생각해보면, 젊다는 것은 육체가 늘 근지럽다는 것일 것이다. 그 안에 자리한 영혼도, 그 밑으로 내려가면 가슴이라고 불리는 곳도, 그 일대에 자리 잡고 있을 것 같은 마음이라는 것도 항상 바깥으로 열려있을 때인 것 같다. 흔들리고 몸살 앓고 자주 일탈하고 제 발에 걸려 넘어지고, 그래서 밤이 길게 이어진다. 밤늦게 글을 쓰는 것과 새벽에 글을 쓰는 것의 차이는 대기가 어두우면 글이 어두어지고, 세상이 밝아지면 글도 밝아지는 것이 아닐까 싶다. 나이를 먹어갈수록 새벽이 내게 어울리니 글에도 햇빛이 들어서기 시작한다.

하루 한 꼭지의 글쓰기를 마치면 책을 꺼낸다. 젊은 시절에는 경영 관련 베스트셀러와 자기계발서를 읽었고 식자라면 꼭 읽어야 한다는 사람들 입에 회자되는 신간들을 읽기도 했었다.

요즘은 문장을 배울 수 있는 책들이 좋다. 책을 읽어내는 속도가 느려졌다. 남들은 딱딱한 경영경제 관련 책보다는 소설을 더 빨리 읽는다는데 날이 갈수록 나는 반대로 간다. 소설을 읽는데 더 오랜 시간이 걸린다. 내 눈길을 붙잡는 문장의 표현들을 만나면 한참을 그 위에 머물러야 한다. 필사할까 생각하다가도 언제 그 소설을 다 읽을까, 라는 마음에 입으로 그 부분을 소리 내어 읽기만 한다.

갈수록 신문이 재미없어지는 것은 내 삶이 현실의 모든 일들을 허구로 생각하고 문장 속의 느낌을 참된 삶의 본질이라고 믿고 싶기 때문인 것 같다. 이스라엘과 하마스의 교전 중 가자지구에서 날아온 박격포탄에 이스라엘 4살 어린이가 피해를 입은 것, 이스라엘이 팔레스타인에 무차별로 보복하고 있다는 학살의 소식, 강대국들은 여전히 유대인들을 지지하는 입장에 있는 것으로 보이는 상황, 이런 뉴스를 마주하면 유대인들이 벌이는 일들이 허구이고, 그들이 믿는 하나님이 진실이기를 바라본다. 세월호 사건과 대한민국 정권 그리고 정치의 현실, 이것이 허구이고, 진실은 진실인 채로 나에게 읽히고 있다. 나는 그 문장 위에서 오래 머문다.

기업을 경영하는 내가 경영경제 관련 베스트 서적에 대한 관심이 줄어들고, 세상의 뉴스를 허구로 도치하고 제발 허구이기를 바란다고 하면 사람들은 내가 기업을 하는 사람인지 의문을 가질 수도 있다. 주제 파악도 못하면서 작가 흉내를 내며 살고 있다고 말할지도 모른다. 많은 사람들이 자기들의 멘토를 찾아다닌다. 더 많은 사람들을 만나려 하고 더 많은 강의를 들으려 한다. 더 많은 책을 읽으려 한다.

행복을 찾아 집을 나선 사내가 있었다. 그는 세상의 어디에서도 행복을 찾지 못하고 결국은 집에 돌아왔다. 그런데 행복이 자기 집 부뚜막에 걸려 있고 가족들 잠자는 모습 위에 있다는 것을 집에 돌아와서 깨닫게 되었다.

사람들은 뭘 배우고자 자꾸 세상 밖으로 나간다. 배운다는 것은 내 안에 있는 것이다. 강의만 쫓아 다니다가 강의 한 번 못해보고, 책만 열심히 읽다가 책 한 권 못 쓰고, 멘토만 찾아다니다가 배운 것을 실행하여 자기를 이룰 행동을 못하고 사는 사람이 많다.

여러 매체의 뉴스들을 다 찾아 읽어보고 여기 저기 바쁘게 배우러 다닌다고 세상을 더욱 잘 이해할 수 있는 것은 아니다. 기업을 경영하는 것은 사람을 경영하는 일이다. 사람을 경영하는 것이 아니라 인생을 경영하는 일이다. 그건 내 존재를 경영하는 일인 것이다. 배우고 익히고 전략을 짜고 부단히 성장을 쫓고 이익을 실현하는 일만이 본질은 아니다. 내 존재를 어느 정도까지 넓힐 수 있느냐의 문제이고 살아서 얼마나 많은 사람들을 사랑할 수 있느냐의 문제인 것이다.

나를 진정으로 어디까지 낮출 수 있느냐는 질문이다. 세상을 알려면 세상만을 보면 안 된다. 자기 내부의 심연으로 들어가야 한다. 그곳에서 존재의 이유를 찾아야 한다. 그 존재를 어느 극한점까지 밀어부칠 수 있느냐를 깊이 사고해야 한다. 이 과정에서 눈은 새롭게 떠진다.

사물은 보이는 대로 존재한다고 한다. 내가 달리 보면 사물들이 다르게 존재한다고 해석할 수 있는 것이다.

내 앞에 있는 직원, 늘 보아오던 대로 존재하는 것이다. 내 눈이 바뀌면 그의 존재가 바뀐다. 그가 평범한 사람에서 인재가 될 수도 있다. 그가 작은 그릇에서 큰 바다가 될 수도 있다. 우주가 그냥 과학적 우주일 수도 있고 신비적 우주일 수도 있는 것이다. 보는 것, 어떻게 볼 것인가, 이것이 더욱 중요하다. 세상에 대한 통찰은 매일 들려오는 뉴스에 업데이트되고 수많은 지적 사실들을 지식으로 입력해야 이룰 수 있는 것이 아니다. 한 눈에 상대방이 어떤 사람이라는 것을 읽어내는 직관과 세상을 읽어내는 독법은 마찬가지이다. 기업 경영은 그 위에서 이루어지는 것이다. 내가 섬기는 사람들이 내가 보내는 축복의 에너지를 받아서 마음껏 춤추게 하는 것이다.

그들을 행복하게 하는 것이다.

직원들이 출근을 하는 시간이 되면, 나 역시 업무 모드로 전환을 한다. 그렇다고 내가 일을 하는 것은 아니다. 나는 실무를 하지 않는다. 나의 업무는 생각을 하는 것이고 대화를 하는 것이다. 직원들이 나에게 말을 걸어오는 이메일에 칭찬과 격려를 담아 코멘트하는 것이 내가 할 일이다. 그들을 느껴보고 그들에게 사소하더라도 말 한 마디 좋은 말로 빚어서 대접하는 것이다. 내 업무의 가장 중요한 일은 상상하는 일이다. 몇 년 후를 몇 십 년 후를. 생각의 무대는 늘 세계의 무대 위로 확대된다.

늘 나를 가늠해본다. 두려움없이 나를 끝까지 밀어부쳐보면 어디까지 다다를 수 있을까를 생각해본다. 지금 눈에 보이지 않는 곳, 지금 생각할 수 있는 경계를 훨씬 벗어난 곳에 다다를 것을 상상해본다. 내 상상을 직원들에게 나누어 주는 것 또한 나의 일이다.

나의 성취는 글에 담아두도록 할 것이다. 직원들에게 저장해둘 것이다. 복이 많아서 남보다 더 많은 운명의 혜택을 받은 나는 필요로 하는 사람들에게 나의 성취를 나누어줄 것이다. 그 성취를 내 은행 계좌에 넣어두지 않을 것이다. 먼 훗날 내가 세상을 떠나는 날, 내가 쓴 책들을 내 제단에 올려

달라고 유언 할 것이다. 남겨진 가족들이 나의 뒷자리를 정리
하다가 미처 책으로 내지 못했던 글들을 모아서 상하이박 유
고 문집을 발행할 것이다. 나는 그 책을 하늘에서 서명할 것
이다.

글 쓰는 공간

　여덟 작가가 오늘도 글쓰기 훈련을 위해서 모였다. 매주 일요일 아침 10시 반에 시작하는 글쓰는 사람들의 모임을 우리는 작가의 방이라고 부른다. 3층 건물의 단독 주택, 중국에서는 비에쑤라는 이름으로 불리는 큰 저택의 1층은 글쓰기 좋은 조건을 갖추었다.

　노트북을 켜고 글쓰기 훈련을 시작하려는 순간, 고개를 들고 살펴보니 내가 앉은 자리의 바로 앞면과 오른쪽면이 푸른 숲의 장식으로 인테리어를 한 듯하다. 투명한 유리창을 통하여 눈과 마음 안으로 들어오는 맑은 녹색은 순도를 높인 산소처럼 영혼을 차분하게 해주는 듯하다. 태양의 날카로운 빛을 방어하며 비에쑤를 지키고 서있는 나무들의 다양한 색조의 녹색 옷들이 마치 숲속에서 글을 쓰고 있다는 착각을 하게 만든다.

밖에서 비에쑤의 정면을 바라보면, 현관문은 건물의 왼쪽에 있다. 마당에서 바라볼 때 정면 벽을 대신하고 있는 통유리 창문은 실내와 발코니를 서정적으로 구분짓고 있다.

정원의 나무들과 풀들이 동공에 남긴 잔영들이 머릿속에 입력되어 떠나지 않은 채 나는 노트북 자판기에 두 손을 올려놓는다. 이제 손가락을 부지런히 움직이기 시작할 타이밍이다. 생각을 하지 말아야 한다. 그냥 직관적으로 글을 쓰기 시작해야 한다. 주디 리브스가 가르쳐준 것처럼 글쓰기 훈련을 시작하기 위해서 스마트폰 타이머 앱을 작동한다. 노트북 넘어 맞은 편 벽으로는 두개의 큰 창문이 있다. 창문 사이 쟁반 모양 시계가 작가들이 글을 쓰는 모양을 감시할 준비를 마친 상태다. 15분 안에 글 한 꼭지를 써야 하는 것이다.

매미의 울음 소리가 찌륵찌륵하며 창문을 투과하여 들어온다. 울음이라는 표현이 맞을까, 그들은 자기들이 노래하고 있다고 말할 수도 있고, 친구들과 대화를 하고 있는 언어라고 주장할지도 모른다. 매미가 우는 계절은 한낮의 태양이 모든 푸르름들을 태우는 여름철이다. 여름과 여름이 아닌 공간으로 경계를 나누는 투명한 유리문 안쪽에서 우리는 글을 쓰기 시작한다.

글을 쓴다는 것은 혼자 하는 일이다. 누군가와 대화를 하면서 할 수 있는 행위가 아니다. 오늘 아침 글을 쓰다가 한국에 사는 친구의 메시지를 받았었다. 요즘 어떻게 지내냐는 안부에, 자녀들 소식에 이런 저런 대화를 이어가는 친구 때문에 글을 쓰는데 방해를 받았다. 글을 쓰는 일은 자신을 조용하게 만드는 일이다. 스스로에게 집중하는 일이다. 글은 머릿속에서 나올 수도 있고, 가슴 속에서 나올 수도 있다. 때로는 몸 전체에서 참기름을 짜내듯이 글이 방울방울 나올 수도 있다. 더운 날 땀이 흐르듯, 그런 땀을 육수라고 하면서 농담으로 웃을 때처럼 글은 피부에서도 송글송글 솟아오르기도 한다. 오래 동안 끓여야 진실한 맛이 우러 나오는 사골국처럼 골수와도 같은 것이 글이 될 수도 있다.

글은 자기 몸 전체에서 나온다.

글들은 언제 그렇게 구석구석에 있었던 것일까? 내가 찾기도 전에 정말 이미 그곳에 있었던 걸까? 글들은 그곳에 있었을 것이다. 우주 안에 이미 내가 있고 나서야 비로소 내가 우주를 인식하는 것처럼, 글을 쓰고 나서야 글이 내 몸 안에 이미 존재하고 있었음을 알게 되는 것이다. 그런 글들을 찾아내서 쓴다는 것은 혼자 있음을 필요로 한다. 술자리에서 술잔을 주거니 받거니 하며 누군가와 같이 있는 자리에서는 입으로 시를 말할 수는 있겠지만, 산문은 절대로 혼자 있기를 필요로 한다. 혼자 마시는 술처럼 혼자 자신을 마셔야 하는 시간이 필요하다.

혼자서 술을 마셨던 경험들을 가지고 있다. 서울에서 직장생활을 하던 대리 직급 초년 시절에 같이 일하던 과장 때문에 스트레스를 심하게 받았다. 일요일 저녁 집에서 혼자 소주를 마시며 월요일에 회사를 가야 하나 말아야 하나 고민했었다. 창업을 고민할 때도 혼자 술을 마신 적이 있다. 혼자 마시는 술이 더 맛있을 때가 있는 법, 가끔 혼자 마시고 싶을 때가 있었다. 그 시간들이 바로 더 깊은 내면으로 들어가는 작업이었다.

혼자 마시는 술처럼, 글이란 것도 그렇게 혼자 마시는 것이다.

콩나물을 먹을 때

　주디 리브스가 쓴 〈365일 작가연습〉을 읽고 있던 중이었다. 주말 동안 이 책을 다 읽고 다른 일을 해야겠다고 생각했다. 작가로서 살아가는 방법, 글쓰기를 습관처럼 익히고 매일 글을 쓰며 매년 글을 모아서 한 권 이상의 책을 출간하는 삶을 살아보고 싶은 마음이 앞섰다.

　토요일에 꼭 써야 할 한 꼭지의 제목을 뒤로 미룬 채, 우선이 책을 다 읽고 나서 써야지 생각했다. 한 페이지, 한 페이지 밑줄을 긋고 싶은 대목이 많았다. 소리 내어 입으로 중얼거리고 빈 종이에 몇 번씩 써보던 중국어 공부처럼 달달 외우고 싶은 글들이 페이지 곳곳에서 반가운 친구처럼 나를 반겼다. 빨강, 파랑, 연두, 검정 4가지 색을 가진 펜으로 색상을 달리하며 곳곳에 밑줄을 긋는 내 동작을 느낄 때 나는 작가가 되려는 나의 진지함이 더욱 기특해졌다.

새벽까지 몇 차례 잠을 자고, 깨고를 반복했다. 침대에서 계속 눈을 감고 있으면 눈과 몸이 부어 오를 것 같다는 생각에 으라챠 소리치는 기분으로 자리를 박차고 하루를 시작했다. 상하이의 대기는 여전히 물기를 가득 품고 있었다. 여름 철답지 않게 기온은 높지 않았으나 축축한 공기를 상쾌하게 바꾸기 위해서 에어컨을 켜야 했다. 나이 먹은 탓일까? 젊어서는 밤새 에어컨을 켜놓지 않으면 잠들기 어려웠던 상하이의 날씨, 이제는 몇 분 정도 켜놓으면 살갗에 닿는 인공의 바람 속에서 냉장고의 찬 물기가 느껴진다.

아침이 되려면 아직 멀었다. 작가가 되고 싶은 마음이 벌써 내 마음에 옹골차게 자리 잡고 있는가 보다. 책을 보고 싶은데 집안에서 책을 보면 또 침대에 눕게 될 것 같아서 커피숍을 떠올리며 집을 나섰다. 이른 아침 커피숍에서 책을 읽는 것도 낭만적일 것 같았다. 그런데 시간은 여전히 커피숍 종업원들을 잠 속에서 구해내지 못하고 있을 새벽이었다. 어쩔 수 없이 사무실 책상에 앉았다.

작가가 된다는 것은 어떻게 해야 한다는 것인가? 나는 다시 주디 리브스의 비싼 강의를 만오천 원이라는 싼값에 구입

한 책을 통해서 듣기 시작했다. 어젯밤에 마지막으로 읽었던 페이지를 찾아 펼치니 그녀가 내 눈앞에 서 있는 듯하다. 한국 돈 만 얼마에 그녀를 만난다는 것은 그저 공짜나 다름없는 위대한 성찬의 시간이다. 책을 읽는다는 것의 매력은 이런 것 같다. 누나 같은 그녀의 자상한 이야기를 읽어 내려가면서 여러 곳에 밑줄을 그었다. 127페이지에 이르렀다.

"글쓰기 훈련을 하지 않는 사람들의 10가지 핑계"라는 강의를 듣기 시작했다.

'시간이 없다, 다른 일을 먼저 해야 한다, 지금 글을 쓸 기분이 아니다.' 등등의 핑계가 나열되어 있다. 한 줄, 한 줄 그녀가 나를 혼 내키는 것 같은 문장을 읽었다. 이 책을 다 읽은 후에 글쓰기 훈련을 더욱 강화해야겠다, 핑계 거리를 찾지 말아야겠다고 생각했다. 그러다가 갑자기 이건 아닌데 라는 생각이 불쑥 머릿속으로 밀고 들어왔다.

오늘은 아침 10시 반에 글쓰기 동아리 모임이 있는 날이다. 매주 일요일 오전 10시 반에 모두 모여서 글을 쓰고 헤어질 때는 새로운 한 주 월요일부터 토요일까지 써야 할 글 꼭지 제목을 받아오는 날이다. 나는 지난 주 글 꼭지 6개 중에서 5개를 쓰고 아직 1개를 미루고 있던 참이었다. 당장 눈앞에 읽고 싶은, 전부 다 읽기를 마치고 싶은 〈365일 작가 연습〉

을 읽어가던 중이었다. 주디 리브스가 나를 혼내는 음성이 들렸다. 우선 먼저 쓰고 나서 읽어도 될 것인데, 왜 책을 다 읽은 후에 쓰겠다고 핑계를 대고 있냐는 것이다. 깜짝 놀라 노트북을 켰다. 에버노트를 켜고 손가락을 움직이기 시작했다. 노트의 맨 윗부분, 제목을 적어 넣을 공간에 오늘 써야 할 글꼭지 제목을 적었다.

"콩나물을 먹을 때."

지난 4월에 내가 내 인생에서 두 번째 습작으로 썼던 시의 소재와 다시 마주한 것이다. 세월호가 바다에 수몰되면서 300여 명의 어린 학생들이 물에 잠겨 숨졌으나 정부에서는 한 명의 아이도 살려내지 못했다. 온갖 거짓과 핑계로 시간이 흘러가길 바라고 있는 것으로 보였다. 지방선거가 치러지고 월드컵이 열리면 국민들도 서서히 잊을 것이라는 정부의 계산기에 시민들이 분노하기 시작했다. 아이들의 죽음에 슬퍼하고 더러는 무능한 정부를 가진 우리 모두에 슬퍼했다. 시민들은 노란 리본을 달기 시작했다. 노란 우산을 쓰고, 노란 옷을 입고, 길거리 곳곳에 노란 현수막을 걸어서 위로하고 항의하기 시작했다. 거리 곳곳은 노란 색으로 가득하기 시작했고, 모두의 마음이 노랗게 되기 시작했다.

4월의 어느 일요일이었다. 점심 밥상에 콩나물 무침이 올라왔다. 그날따라 접시에 담긴 콩나물 무침에는 줄기보다 노란 머리 부분이 더 많았다. 노란색들이 그곳에 있었다. 순간 울컥하며 아이들이 떠올랐다. 노란색들의 위로와 시위가 떠오르기 시작했다. "엄마 미안해, 아빠 미안해."라고 울부짖으며 물에 잠겨 죽어가던 소녀의 목소리가 밥상 위에서 온 집안으로 크게 울리기 시작했다. 그날 나는 콩나물 무침을 먹을 수 없었다. 그래서 시를 썼다. 대학교 1학년을 마친 겨울 방학 때 처음 써본 시 '마지막 감상(感傷)'을 쓴 후로 삼십 년이 넘어서 써 본 두 번째 시는 이렇게 쓰게 된 것이다.

오늘 새벽 집을 나서기 전, 샤워를 하고 집을 나갈 채비를 하는데 내 눈에 유난히 노란색들이 걸려들었다. 교회에서 장로가 되신 분이 기념으로 주었던 수건도 노란색이었고, 화장실 거울 앞 세면기 옆에 세워둔 손 씻는 액체 비누의 플라스틱 통에도 노란색이 입혀져 있었다. 샤워를 마치고 방으로 들어서니 책상 위에서 할인점 이름을 새긴 노란색 라이터가 나를 주목하고 있었다. 콩나물에 대해서 글을 써야 한다는 의무감, 어떻게 해서든 오늘 작가의 방이 시작되기 전에 남은 한 꼭지의 숙제를 해야 한다는 생각이 내 눈 속으로 노란색들을 찾아서 밀어들이고 있는 것이었다.

글쓰기의 마법이 이런 것인가 보다. 몰두하다 보니, 그 색

깔이 잡히고, 그 기억이 떠오르고, 콩나물 반찬에서 함성을 지르던 노란 리본이 떠올랐나 보다. 그래도 우선 책을 읽어야 한다고 생각했다. 콩나물을 뒤로 미룬 채, 당장 읽고 싶은 책을 다 마무리하면 글쓰기 숙제보다는 기분이 더좋아지지 않을까 생각했다. 책을 잡았다. 책 속에서 작가에게 크게 혼났다. 우선 오늘 쓰기로 약속한 글쓰기를 마친 후에 책을 보란다. 더구나 작가가 되고 싶어서 읽는 책이라면.

작가가 되기 위해서 나는 무조건 하루에 한 꼭지의 글을 써야 한다. 쓰고 싶든 쓰기 싫든, 쓸 거리가 생각나든 생각나지 않든, 지금 당장 진짜 하고 싶은 일이 다른 무엇이든 나는 무조건 써야 한다. 콩나물을 써야 하는데 생각이 나지 않아도 무조건 써야 한다. 그래야 내 글쓰기도 콩나물처럼 무럭무럭 자라나지 않을까? 내 글에도 노란 위로가 색을 입고, 노란 목소리가 피아노를 연주하고, 노란 향기가 세상의 부조리한 노래에 콩나물 몇 개 위치를 바꿀 수 있지 않을까?

이카루스 이야기

　며칠 동안 글 한 줄을 제대로 쓰지 못했다. 어떤 내용도 문장으로 쓰지 않았다. 글 한 꼭지를 쓰려면 시간을 내야 했는데 지난 주엔 글을 써야 할 시간들까지 몰아서 전부 책을 읽는데 투입했다. 글을 쓰지 않고 보내버린 한 주에 대한 핑계를 이렇게 꾸며대 본다. 글 쓸 시간을 아낀 덕분에 책은 평소보다 몇 권 더 읽게 되었다고 스스로 위안을 삼는다.

　회사 일을 하는 사람이다 보니 온종일 책을 읽을 수는 없다. 나름 주말을 이용하여 1주일에 한두 권, 평일에 짬짬이 시간을 내면 서너 권 정도 읽고 있는 수준이다. 금년 설 연휴를 보내면서, 음력 새해 첫 출근을 하는 날부터는 매일 아침에 4시에 일어나 5시까지 출근하기로 결심을 했다. 처음 며칠은 좀 피곤했지만, 잠자는 습관도 바뀌는 것이라서 곧 적응되었다. 어떤 날은 4시 반 전에 사무실에 도착했고 늦어도 5시에는 사무실에 도착했다. 아침에 집을 나서 운전을 하며 출근을 하다 보면 도로 위의 풍경이 한가롭다. 아직 텅 빈 상태라고 말해도 좋을 정도로 사람들이 길거리로 나서지 않은 시간, 나는 이미 출근길에 있다는 느낌만으로도 나 자신에게 긍정감과 자신감을 몇 배로 키워준다.

상하이에 사는 한국 사람들 중에서 나보다 더 빨리 아침을 시작하는 사람이 있을까? 스스로에게 물어보고 스스로 대답을 한다. 내가 제일 먼저 아침을 시작한다고 확신하며 출근길 자동차의 액셀러레이터를 밟는다. 왜, 나는 오십이 넘은 나이에 무엇을 더 바라며, 돈은 또 얼마나 더 벌겠다고 이리도 새벽 일찍 일어나 출근을 하는 것일까? 사실 오래전부터 내 머릿속에는 이미 고인이 된 현대그룹 창업자 정주영 회장의 모습이 이미지로 있었다. 어두운 겨울철 새벽에 아들들을 데리고 출근하던 그의 사진을 신문에서 본 적이 있다. 그 사진의 모습을 보면서 나도 따라 배우겠다는 생각을 했었다.

나는 대학을 졸업하고 직장 생활을 시작한 첫해부터 지금까지 회사에 제일 먼저 출근하는 습관을 유지해왔다. 한국에서 6년여 동안 근무하던 젊은 시절, 벽제에서 버스를 타고 구파발에서 다시 지하철로 갈아타고 1시간 반 걸려서 충무로에 있는 회사까지 출근해야 했다. 그때도 나는 매일 사무실에 7시 반까지 도착해서 일본어와 중국어를 공부했다. 상하이에서 주재원을 하던 삼십 대에도 사무실에 가장 먼저 출근했었고, 쓰촨성에서 근무하던 40대 초반에도 항상 7시 전에 사무실에 도착했었다. 밤늦게까지 술을 마신 다음 날에도 아침에 일어나는 시간은 항상 같았고 출근하는 시간은 항상 똑같아서 지각하는 일은 일 년에 한 번 있을까 말까 했다.

짜증 나는 일 중의 하나는 어쩌다 남들이 모두 출근하기 시작하는 아침 8시를 넘어서 출근할 때의 느낌이다. 엘리베이터 앞에 사람들이 줄을 서 있고 어렵게 올라탄 공간 안에서 빽빽하게 들어찬 사람들과 몸을 부비는 일이다. 가장 상쾌한 것은 무엇인가? 이른 아침에 대기하고 있는 엘리베이터에 혼자만 타는 것, 아무도 없는 사무실에서 혼자 커피를 마시며 하루를 시작하는 것, 이런 기쁨이 아주 짭짤하고 좋다. 자신에게 충만한 느낌이 드는 시간인 것이다.

6시 반에서 7시 반 사이에 사무실에 도착하던 습관을 5시까지 출근하는 것으로 바꾸고 난 후로 책을 더 많이 읽을 수 있게 되었다. 아침 5시에 사무실에 도착하면 우선 커피를 마신다. 노트북을 켜고, 데스크톱을 오픈하여 SNS를 잠깐 하다가 음악을 듣기 시작한다. 유튜브로 듣고 싶은 음악을 검색하여 동영상을 보며 듣기도 하고 미리 다운받아 놓은 곡들을 듣기도 한다. 잘 모르더라도 주로 클래식 음악을 들으면서 마음을 평안하게 유지한다. 이렇게 마음이 차분해지면 책을 읽기 시작하는 것이다. 직원들이 출근하여 일을 시작하는 분위기가 되는 8시 반까지 3시간 정도가 내게 독서와 글쓰기의 시간으로 주어지는 것이다.

평일 낮 시간 동안은 책을 볼 수 없지만, 새벽 시간을 이용하여 지난 한 주 동안은 9권의 책을 읽을 수 있었다. 책을 많이 읽게 되니 내적인 충만감이 느껴져 좋았다. 새벽에 3시간 책을 읽은 후에 업무를 시작하면 심신의 컨디션이 더 좋아져 상쾌한 상태로 일을 할 수 있게 되었고, 누구를 만나더라도, 말을 꺼내어 이야기하지는 않지만, 내심 스스로에게 자신감이 더욱 커지는 것을 느낄 수 있었다.

문제는 오늘 아침이었다. 가슴에 뭔가 얹힌 듯한 느낌이 들었다. 숨 고르기가 부드럽지 않았다. 마음 벽에 뭔가 개운하지 않은 것이 달라붙어 있는 것 같았다. 책을 보는데 생각은 자꾸 엉뚱한 곳으로 이탈하는 것 같았다. 뭔가 잘못되고 있다는 느낌이 마치 불편한 언어가 되어 나에게 각성하라는 신호를 주고 있는 것 같았다. 어제저녁에도 그랬다. 퇴근 무렵,

마음이 꿀꿀해진 것일까? 눈앞을 가리는 듯한 마음 밭의 밤안개가 귀가하는 도로에 가득했다. 누군가와 술이라도 한잔하고 싶기도 했다.

생각의 뒷머리를 자꾸 잡아당기는 실체가 무엇인지, 정면으로 대면을 해봐야 할 것 같았다. 차가운 커피가 생각났다. 계절은 봄이지만 오늘은 바깥 바람이 제법 쌀쌀하기만 했다. 활짝 피어나는 봄을 화사한 웃음으로 맞이할 시간, 나는 여전히 가을 남자의 모습으로 살고 있는가? 외출을 하는 길에 커피숍에 들렀다. 얼음 덩어리 위로 부어준 아메리카노에 샷을 추가하여 마셨다. 창문을 열어둔 채 운전을 했다. 바람이 차가웠다. 혼자 생각을 했다. 나는 지금 왜 답답한 것일까? 무엇 때문에?

무언가 잘못되고 있다는 느낌, 이 느낌은 무엇일까? 내면 깊은 곳에서 "너는 지금 제대로 살고 있지 않다."라는 목소리가 아우성이 되어 가슴 위까지 자꾸 밀려 올라오는 것 같았다. 입 밖으로 쏟아내야 하는 목소리가 가슴에 얹혀 있으니 답답할 수밖에 없는 노릇이었다. 지난 한 주 동안, 글은 한 줄도 쓰지 않고 책만 봤다는 이야기는 내 안에서 터져 나와 쓰지 않으면 안 될 글이 없었던 것이 아닐까? 불행하게도 글쓰기란 이미 나와 관계가 없는 것이 되어가고 있는 것은 아닐까?

　새해가 시작되면서 50을 넘어 51살을 시작했다. 인생이 100년이라면 앞서 50년은 전반전으로 이미 마감했고, 앞으로 살아갈 50년은 인생의 후반전이 될 것이다. 사실 전반전 후 반전이라고 말하는 것보다 첫 번째 인생, 두 번째 인생이라는 표현을 좋아한다. 퍼스트 라이프, 세컨드 라이프. 다시 태어 난 마음으로 맞이하는 두 번째 인생의 한 살을 시작하는 연 초에 나는 새로운 결심을 했다. 매일 글 한 꼭지씩을 써서 올 해 365꼭지의 글을 쓰고, 이틀에 한 권의 책을 읽어서 180권 의 책을 읽겠다는 목표를 세웠다. 새해 1월 1일부터 시작했 다. 나름대로 제대로 약속을 지켜왔다. 내 모습이 기특했다. 주변 지인들에게도 자랑했다. "매일 한 꼭지의 글을 쓰고 있 다."라고 말하면서 글쓰기를 해보라고 권유하기도 했다.

　오늘 아침, 새스고딘의 저서 〈이카루스 이야기〉를 읽다가 벼락을 맞은 느낌을 받았다. 그는 이렇게 적고 있다.

난데 없이 말문이 막히는 화자의 벽이 있을 수 있을까?
우리는 아무렇게나 이야기하다가 또는 가끔 현명한 말을 한다.
끊임없이 이야기를 한다는 이유만으로 말하는 능력은 향상된다.
어떤 이야기는 성공하고, 어떤 이야기는 실패한다.

작가의 벽도 그리 큰 문제가 아닐지 모른다

그냥 써보자, 아무렇게나 쓰자. 계속해서 쓰자.

매일 그렇게 쓰자. 매일 한 문장이라도 '무언가'를 써야 한다면

글쓰기 실력은 분명 좋아질 것이다. 말하듯 글을 쓰자. 충분히 자주.

요즘 책을 보다가 말도 잃고, 글도 잃은 것은 아닌지 생각
해보았다. 말과 글을 다시 찾아야겠다. 말하듯 글을 쓰자.
자주 쓰자. 충분히 쓰자. 마음껏 자판을 두드리며 수다를 떨
어 보자.

지금부터
시를 읽으면

　설날 연휴부터 시집 몇 권을 손 닿는 곳에 두기 시작했다. 집의 책상 위에도 올려놓고 회사의 책상 위에도 올려놓았다. 에버노트에 노트북 하나를 새로 만들었다. 이름을 "시"라고 붙여보았다. 몇 편의 시를 눈으로 읽어본 다음, 노트북 "시"를 열고 한 글자 한 글자 타이핑을 해본다. 충분히 이해가 되었든 아니든, 마음에 닿았든 아니든, 느낌이 오지 않는 부분은 내 무지하기 짝이 없는 탓이요, 하며 한 자 한 자 꼭꼭 눌러 모니터 속 노트북에 심어 놓는다.

　나 지금 몇 살이지?

　한 살!

　오십 하나에서 오십을 빼니 한 살이 되어버렸다. 인생을 두 번 살기로 했다. 첫 번째 오십 년은 이미 지나간 삶이다. 습관처럼 살았던 무지의 시간이었다. 마음 저편의 바닷속으로 던져버렸다. 시작한 지 얼마 안 되는 두 번째의 삶, 어떤 의미에서는 새로운 우주에 착륙한 낯선 사람으로 한 오십 년을 살려고 길을 나섰다.

그래, 예전의 우주에 살 때 나는 시를 몰랐어, 눈이 없었나봐, 하지만 그것은 내 뜻이 아니었어. 혼자 중얼중얼하며 나이를 세어보니 지금은 딱 한 살이다. 하얀 한지 한 장, 두껍고 큰 마른 스펀지 하나. 그래, 나는 이 상태다. 이제부터 무엇이든 흡수할 것이다. 감수성이 예민한 나는 무엇이든 배울 수 있고 뭐라도 될 수가 있다. 지금부터 10년, 20년 공부하면 되지 않을까?

내가 지금 한 살이 되어 굶주린 것 같다. 목말라 타들어 가는 나무처럼 물기를 빨아들인다면 5살이 되고, 10살이 되고, 15살이 되고, 청년기인 20살이 되면, 어느 정도 배울 수 있지 않을까?

91년이었나 보다. 구파발에서 지하철을 내려서 버스를 타고 이삼십 여분 가면 벽제라는 곳이 있었고 내가 살던 집은 벽제의 끝 무렵에서 버스를 내려서 조금 걸어가는 곳이었다. 비닐하우스 밭들을 양옆으로 지나면서 시멘트로 포장한 좁은 길을 걸어가노라면 볼품없이 지어놓은 연립주택 단지가 나왔다. 십여 동의 연립주택이 들어서 있고 단지 안에는 조그만 놀이터도 있었다. 이곳에 이사 오기 전에는 서울에 살았었는데 햇빛을 볼 수 없는 반지하 집이었다. 갓 난 아들에게 햇빛을 쬐여 주려고 가진 돈에 맞추어 벽제로 이사를 갔던 것이다.

나는 매일 일본어를 공부하고 있었다. 주말에도 틈만 나면 일본어 책을 잡고서 공부를 했었다. 어느 날은 내가 방 바닥에 엎드린 채 일본어를 공부하고 있었는데, 어린 아들이 어디선가 무슨 책 하나를 가지고 내 옆으로 와서 엎드려 자세를 하고 책을 보는 것이었다. 하는 짓이 귀여워서 바라보니 책을 거꾸로 잡고 아빠 흉내를 내고 있었던 것이다. 이제 그 아들이 24살이 되었다. 올 해 6월에 대학원을 졸업하고 지금은 홍콩에서 금융회사에 다니고 있다.

아빠가 책을 볼 때, 글자를 모르던 아들은 아빠 옆 자리에 엎드려 책을 거꾸로 들고 있었다. 지금 나는 시를 모른다. 그래서 시집을 거꾸로 들고 있다. 시어들이 거꾸로 세워졌는지, 내 눈이 거꾸로 달린 것인지 시를 이해하기가 쉽지 않다. 그래도 괜찮다. 20여 년 전 2살이었던 아들도 책을 거꾸로 들고 있었는데 나도 이제 그 나이가 아닌가? 아들처럼 나 역시 한 살, 한 살 성장하다 보면 언젠가는 시가 이해되리라.

내가 처음 빈 종이에 몇 자 끄적거리는 수준을 넘어서 "내가 시를 썼다."라고 느꼈을 때가 떠오른다. 나는 전주 시내 어느 커피숍에 있었다. 학교 동아리 친구들이 불러내어 나갔더니 1학년 두 학기 내내 내가 짝사랑을 하던 여학생과 같이 앉아있었다. 지금은 어느 도시에서 어떤 모습으로 살고 있는지도 모른다. 부끄러워 말도 못 붙이고 마음 몸살을 앓던 내가 불쌍하다고 생각한 친구들이 나와 그 여학생 둘을 불러내어 같은 자리에 앉혀 놓고는 사라져버렸다. 앞에 앉아 말도 못하고 있던 한심한 남학생에게 그 여학생은 한 마디 톡 쏘아대었다.

"난, 너가 싫어."

"왜?"

"넌, 너무 감상(感傷)적이야."

하늘이 무너져 내렸다. 그녀의 말은 날카로운 번개가 되어 내 심장을 그대로 태워버렸다. 바다가 들고 일어나 세상이 물에 잠기는 기분이었다. 내가 아는 세상은 이미 무너지고 있었다. 어떻게 발걸음을 옮길 수 있었는지, 어떻게 집에 왔는지, 정신을 차렸을 때는 이미 새벽이 밝아오고 있었다. 그 새벽에 "시 한편"이 내 눈앞에 모습을 갖추었고, 난 마지막 글자를

적으면서 그 여학생에 대한 짝사랑을 내려놓았다. 내가 사랑했던 게 그 여학생이었는지, 짝사랑이라는 감상이었는지, 나는 그 시절 스스로 유치했었다. 시 제목은 "마지막 감상(感想)"이었다. 이 시를 쓴 것이 처음이자 마지막이었다. 그 후로 나는 더 이상 종이 학을 접지 않는 학생이 되었고 시를 모르는 어른으로 살아왔다. 왜 그 후로는 시를 잃어버렸을까? 왜 다시는 시를 써보려고 하지 않았을까?

트라우마라는 말을 억지로 가져와 굳이 핑계를 하나 만들어본다면, 친구 핑계를 댈 수 있을까 싶다. 밤새 잠 못 이루며 울면서 쓴 그 시를 며칠 후에 시를 쓰는 친구에게 보여주었다. 잘 썼다고 평가해줄 것이라 기대하고 말 한 마디 해주길 바랐는데, 그때 친구는 아무 반응이 없었다. 이것도 시라고 썼냐고 말하지는 않았지만, 내 시에 대하여 관심이 없어 보였다. 그의 무반응 때문에 나는 내가 무슨 시를 쓰겠냐 하며 속만 부끄럽게 빨개지고 있었다.

누군가 시를 읽고 있다. 시도 모르면서 읽고 있다.

그래도 십 년, 이십 년 읽으면 어느 정도 시를 이해할 수 있을 거라고 우기면서 읽고 있다. 아들도 2살 때 책을 거꾸로 들고 까막눈으로 글을 보기 시작했다. 나는 지금 그 시절 아들의 나이라고 생각하고 있으니 얼마든지 시를 배울 수 있다

고도 생각한다. 혹시라도, 20년 아니면 30년 정도 지나면 시
집 한 권 낼지 누가 알 수 있을까? 이렇게 우기는 사람이 시
를 읽고 있다.

메타포

　이탈리아에서 만든 영화 〈일 포스티노〉의 원작 소설, 한국어 번역본 이름은 〈네루다의 우편배달부〉이다. 나는 작년 가을 〈일 포스티노〉를 처음으로 마주했다. 노트북에 저장해두었다가 9월 말 시카고로 출장 가는 비행기 안에서 본 적이 있다. 영화를 본 후에 머릿속에 남은 하나의 단어는 "메타포"였다. 영화와 소설의 핵심 키워드, 메타포라는 단어가 강력하게 온몸을 전율시켰다. 은유라는 말로 해석되는 단어를 접한 후에 내게도 시가 찾아올 것 같다는 느낌이 들었다.

　때는 가을, 시카고 공항을 나오니 그곳의 가을도 무르익었다. 호텔에서 가까운 곳에 바다처럼 보이는 미시간호가 있었다. 사흘 동안 틈틈이 시간을 내어 미시간호에 갔다. 바다처럼 수평선이 보이는 호수를 바라보며 메타포라는 단어를 매만졌다. 물론 메타포 하나 만들어내지 못한 먹먹한 가슴만 가지고 상하이로 돌아왔지만 말이다.

오늘 아침은 소설 〈네루다의 우편배달부〉를 펼쳤다. 영화의 장면들을 떠올리면서 소설을 읽는 재미를 무엇으로 표현할 수 있을까? 모든 메타포를 나 혼자 독식하는 그런 기쁨이 아닐까 싶다. 영화로 제작된 소설을 읽을 때는 먼저 영화를 본 후에 읽는 것이 좋을 것 같다. 소설을 이해하기가 더욱 쉬워진다. 읽으면서 영상이 떠오르고 영화가 소설 원작과 다른 부분을 알아내는 재미도 쏠쏠하다. 나는 영화 일포스티노를 떠올리며 소설을 읽어나갔다. 시인 네루다와 우편배달부 마리오, 마리오의 여인 베아트리체, 그들 사이의 이야기를 읽은 동안, 소설 속의 메타포가 나비처럼 너울거리는 것에 현기증이 일었다.

네루다로부터 처음 메타포라는 단어를 들은 마리오는 시인 앞에서 한참을 멍하니 서있었다. 시인이 물었다. 무얼 하고 있냐? 마리오는 생각 중이라고 대답했다. "생각은 걸어가면서 하는 거야. 우선 포구를 걸어봐, 걸으면서 관찰해보라고." 마리오는 네루다의 말대로 해변으로 갔다. 한참을 응시했으나 아무런 메타포가 떠오르지 않았다. 모든 것들은 오직 침

묵할 뿐이었다. 마리오의 눈에는 해변가 모래알들이 차라리 수다쟁이처럼 보였다. 파도와 함께 끊임없이 속삭이고 있다고 생각했다. 헌데 자신에게는 메타포가 나오지 않으니 먹먹할 수 밖에……. 우체부 마리오, 그에게 어느 날 이렇게 시가 찾아왔다.

칠레의 어느 외진 섬, 마실 수 있는 물도 나오지 않아 육지에서 한 달에 한 번 공급을 받아야 하는 가난한 섬, 주어진 운명과 부당한 대우에 저항할 지적인 영혼이 없던 그곳의 사람들은 대부분 어부의 삶을 살고 있었다. 시인은 가난하면서도 아름다운 자연의 환경에서만 태어나는 것인가? 번개처럼 내려 꽂히는 여인에 대한 사랑에서 시작되는 것인가? 그 섬으로 정치 피난을 온 시인, 파블로 네루다에게 매일 우편물을 배달하는 마리오에게도 그렇게 시가 찾아왔다. 사랑에 대한 아련한 마음이 찾아왔다. 그는 시인에게 말한다. 저도 시인이 되고 싶어요, 시를 쓰면 여자들이 좋아하잖아요. 어떻게 시인이 될 수 있죠?

마리오는 그가 사는 섬에서 가장 자랑하고 싶은 것은 베아트리체 루소라고 생각한다. 그녀를 처음 본 순간 그의 온몸은 마비되었고, 그의 눈과 심장은 그녀의 눈 길 한 번에 벼락을 맞는다. 그는 이 감정을 표현하고 싶었다. 그녀에게 말을 하고 싶었다.

시인은 그에게 은유에 대해서 이야기를 해준다. 시는 일종
의 메타포를 사용하는 것이라고. 네루다는 시를 이해하기 위
해서는 경험하여 보라고 마리오에게 이야기한다. 시인은 자기
가 쓴 시에 대해서 자기가 쓴 글 이외의 말로 시를 설명하지
못한다고 말한다.

바다를 바라보며 살아온 마리오, 가난한 사람들 속에서
아무런 희망도 찾을 수 없던, 그러나 아름다운 섬의 세계에서
자라난 그가 시의 메타포로 다가가는 데는 아무런 벽이 없었
다. 시인이 툭 건드려준 손가락 하나로 마리오에게 수없이 많
은 메타포가 탄생하기 시작했다. 더욱이 사랑하는 여인을 운
명처럼 만났으니, 메타포는 끊이지 않을 수밖에 없었다.

시인의 은유는 치명적이다. 여인을 사로잡고, 한 사람의 운
명을 바꾸고 세상을 바꾼다. 그에게 시를 가르쳐준 것은 파
블로 네루다가 아니다. 원래부터 그의 내면에는 수많은 시들
이 있었다. 삶을 주관하는 신의 뜻인지도 모를 인연으로 찾아
온 칠레의 시인, 연정을 느끼게 되는 베아트리체, 그가 살아왔
던 섬, 그 안에서 그는 별의 소리를 녹음하고 나무 잎들의 움
직임과 바람 소리, 파도 소리, 가난한 민중의 소리를 듣는다.

일포스티노, 이 영화는 나 또한 한 사람의 마리오로 만들

어 줄 것 같은 느낌이 파도가 되어 밀려온다. 나의 시인 친구는 파블로 네루다. 이렇게 메타포를 사용해본다. 내 친구는 말한다. 시는 생각하여 쓰는 것이 아니란다. 그냥 찾아온단다. 내림을 받는단다. 어떻게? 역시 네루다처럼 이야기한다. 주변을 잘 관찰하라고. 온몸으로 느끼라고 말이다.

메타포는 위험하고 강력하다. 사랑하는 연인을 포획하는 그물이며 옭아매는 밧줄이다. 메타포는 위험한 도로 주행이다. 때로는 돌이킬 수 없는 교통 사고를 내어 사람의 운명을 바꾼다. 메타포는 핵무기가 될 수도 있다. 지구 전체를 위협하고 인류의 운명을 들었다 놓았다 한다. 메타포는 눈에 보이지 않는 산소이며, 습기이며, 햇빛이며, 어둠이며, 바람이다.

마리오처럼 죽을 일이 있더라도 메타포를 배운다면, 죽어서 바람을 닮고 별을 닮고, 눈부신 푸른 바다를 닮아갈 수 있으리라. 파도가 속삭이듯 밀려와 모래 속 잠든 소라에게 말을 걸어온다. 너의 껍질에서 나와보라고 꼬임을 건다. 마리오의 심정에 완전히 동화된다. 메타포를 익힐 수 있다면 내일 세상을 떠나도 좋을 것 같다. 나는 메타포라는 독약을 먹고 시인으로 새로 태어나고 싶어진다.

날 수 있다

  사람에게도 날개가 있는가? 날아볼 수 있을까? 우리는 성공하여 소위 잘 나가는 사람들을 가리켜 날개를 단 듯 비상하는 사람이라고 말하기도 한다. 날개를 달고 창공을 날아가는 새들의 모습을 마음 속에 그려보자. 참새부터 독수리까지 다양한 새들이 하늘을 날아다닌다. 하늘로 솟아올라도, 비상하여 마음껏 동서남북으로 가로질러도 그들에게는 막힘이 없다. 막힌 벽이 없고 높이 오르는 것을 막고 있는 천장도 없다. 날아다니는 새들은 자유주의자들이며 낭만주의자들이다. 원하면 날아갈 수 있다.

  우리는 날지 못한다. 아니, 대부분의 사람들은 자신에게 날개가 있다는 것을 모른 채 살고 있다. 당연히 날 수 없다고 생각한다. 인간으로 태어나 그가 속해 있는 사회가 강제적으로 부여한 역사와 문화, 전통, 교육의 환경 속에서 날개 다는 법을 배우지 못한다. 우리에게는 쳐다볼 수 있는 하늘에 대해 한계가 주어지고 동서남북의 어느 일정 거리 외는 더 이상 밖으로 나아갈 수 없는 벽이 막아서고 있다.

어려서부터 날개를 달지 못하고 살아온 사람들이 청년이 되고, 중년이 되면서 날개를 달 수 있다는 생각을 상상조차 못하는 경우가 대부분이다. 일부 사람들은 날아보려고 시도한다. 어깨에 날개가 자라나도록 마음을 애쓴다. 날개가 서서히 자라나고 날아볼 수 있을 정도의 크기로 자라나면 날개를 활짝 펴고 비상하고 싶어한다. 하지만 날아보고 싶은 사람들의 대부분은 날개가 다 자라난 후에도 날개를 펴는 법을 배우지 못한다. 더러는 몹쓸 비가 많이 내려서 어느 누구의 날개는 흠뻑 물에 젖어 무겁게 되었고, 더러는 춥고 배고픈 인생으로 날개를 자꾸 움츠리는 사람들도 있다. 날개를 펴고 높게 멀리 비상하는 사람은 많지 않다.

마음 속에서 날아보기를 꿈꾸다가 한 번 제대로 날아보지도 못하고 날개를 펴는 것을 포기하는 사람들이 많다. 날기 위해서는 우리 자신을 똑바로 바라볼 필요가 있다. 우리 몸에 날개가 있는지 없는지를 보아야 한다. 자세히 살펴보면 날 수 있는 날개가 있는데 세상이 강요한 생각들의 한계에 갇혀서 보지 못하는 것이다.

눈을 감고 우주 공간을 그려보자. 우주 안에서 나 자신은 오직 나 한 사람이라는 것을 생각해보자. 하나의 생명체로서 육화된 몸으로 살아가는 지금의 삶이 언젠가 마감될 것을 생각해보자. 우리가 부대끼며 살아가는 사람들과 언젠가 헤어질 것이 확실하다는 사실을 주목해보도록 하자. 사랑했고, 미워했고, 분노했고, 실망했고, 때로는 기쁘게, 슬프게 또는 화나게 했던 그 모두들의 관계 속에서 누구누구는 나보다 먼저 눈에 보이지 않는 모습으로 무화해갈 것이다. 언젠가는 세상의 많은 사람들에게 작별하면서 우리도 육신을 버리고 영혼으로 우주 공간을 떠돌게 될 것이다. 하나의 에너지인 모습으로 유영하게 될 것이다. 무엇을 두려워해야 하는가?

당신이 날 수 없다는 생각을 누가 강요했는가? 당신이 태어나고 자란 가정 환경이 주입시킨 생각일 수도 있다. 살아오며 마주쳤고 스쳐갔던 숱한 인연들과 그들과의 경험들이 당신을 주눅들게 만들었다. 날개를 펼 생각을 못하게 만들었다. 우리가 눈에 보이는 몸을 가진 존재로 태어났을 때 어떤 환경에 속해 있었고 그동안 어떤 체험들을 했느냐에 따라서 우리는 날 수도 있고 또는 날 수도 없게 되었다.

문제는 생각이다. 날 수 있다고 생각하면 날 수 있는 것이다. 날개를 달고 있다고 생각하면 날개가 있는 것이다. 세상의 어떤 존재가 나라는 유일하고 무이한 가장 존엄한 존재를 대체할 수 있단 말인가? 누가 내 인생을 자기 마음대로 주눅들게 만들 수 있고, 누가 내 날개가 물에 젖도록, 한 번 제대로 펴보지도 못하게 만들 수 있는 권리를 휘두른단 말인가.

우리는 날 수 있다. 날 수 있다고 생각하면 날 수 있는 것이다. 푸른 창공을 비상할 수 있다. 우주의 공간을 수시로 순간 이동할 수 있는 날개가 있는 것이다. 육신이 그 생명을 다하면 눈에 보이는 모든 것이 의미를 잃게 되는 사람들의 세속적인 관계에 얽매어 날개를 접지 말아야 한다. 현실에 살면서도 우리는 우주가 시작된 바로 첫 순간부터 우주가 아예 없어지는 그 없음의 끝자락까지 존재해 왔고 존재해 가야 하는 영혼(Spirit)이다. 그런 존엄이다. 그러니 우리는 날개를 펼쳐야 한다. 날개를 펴는 장소, 그곳은 당신의 생각 속에 있다. 날개 한 번 제대로 펴보지 못하고 땅 속으로 썩어 들어갈 것인지, 날개를 활짝 펴고 영원히 살아갈 것인지 생각 속에 있는 날개를 직시해보아야 한다.

인생 리부팅을 열망하는 당신에게

　　사진으로 포집된 과거의 시간들은 더 이상 움직

이지 않는다. 내가 특정한 날, 특정한 시간에 특정

한 일을 겪었던 그 순간은 더 이상 유동적이지 않

다. 변형을 가할 수도 없고, 지울 수도 없다. 그냥

그대로 화석이 된 것처럼, 사진으로 현상되어 있는

것처럼 그대로 있다.

3부

바다가
되고 싶다

바닷가에서

　바닷가에 나가 보았다. 파도가 밀려오고 밀려 나가는 육지와 바다의 경계 위 모래 밭이 길고 넓게 누워 있었다. 저 멀리에 있으면서 나를 부르는 수평선 쪽으로 한참 동안 망연한 두 눈을 건넬 뿐이었다. 내가 오래 동안 찾아 다니던 그가 바다의 끝, 하늘의 시작점에 있는지 알 수는 없었다.

　눈길을 돌렸다. 끊임없이 내 발 밑으로 밀려와서 자꾸 발자국을 지우고 있는 하얀 물의 부서지고 흩어지는 것을 바라보았다. 끊임없이 일렁이는 파도의 끝자락을 뒤돌아 보았다. 파도는 그렇게 나의 과거를 지워 나가고 있었다. 바다의 심장은 변하지 않는 진실로 깊은 채 영겁의 모습으로 있을 것이었다. 다만 내 눈 안으로 들어오는 바다의 겉 모습은 쉼 없이 흔들리고 있었다. 옷 가지 하나 걸치지 않은 채로 해와 달과 바람과 비에 자기를 온전히 내맡겨두고.

흔들면 흔들리고 뒤집으면 뒤집히고 있었다. 흔들리지 않는 바닷속, 흔들리는 바다의 표면, 겉과 속의 다른 모습을 넋 나간 듯 보고 있었다. 내가 바다라면, 내 일상의 모습은 끊임없이 출렁거리되, 나의 내면은 바닷속처럼 언제나 깊고 흔들리지 않을 것이라 생각해보았다.

지나온 날들이 어떤 세월이었든, 지금은 어떤 색채의 시간이든, 이 세상을 산다는 것은 흔들리는 것이다. 때로는 거세게 거품을 물고 일어서고 크게 출렁이며, 때로는 잔잔하고 따사롭고, 그런 것일 터이다. 바다가 드러내 보이는 겉 살, 그 부드럽고 약한 피부는 단 한순간이라도 미동도 하지 않고 멈춰있던 적이 없었다.

존재가 시작된 그 순간부터 늘 흔들리고 상처받으며 뒤척이고 있는 것인지 알 수가 없었다. 바다의 깊은 영혼, 그 마음이 끊임없이 자기를 달래보는 노래, 그 몸짓, 그 소리가 파도인지 모를 일이었다.

끼룩끼룩 갈매기들이 하얀 날개로 파도의 몸짓을 하며 수면 위 허공을 날아다닌다. 하늘의 언어와 바다의 언어를 통역하고 있는 중인지도 모르겠다. 그들만이 온전히 하늘과 대면

하고 있는 바다를 이해하고 있을 것 같았다.

갈매기에게 물어보았다. 내가 찾는 그는 어디에 있는지, 하늘의 어느 한 켠, 하늘과 바다가 맞닿은 저 먼 곳의 어느 접점, 아니면 바닷속 미동도 없는 어느 깊은 수심에 있는지, 질문을 날려보았다. 갈매기가 넓게 큰 원을 그리며 푸른 물 위를 나른다.

앞을 바라보며 걸어본다. 멈추어 뒷걸음으로도 걸어본다. 파도가 물러나면 파도 따라 바다 쪽으로 몇 걸음 다가간다. 파도가 다시 밀려오면 다시 몇 걸음 물러나면서 걷는다. 머릿속으로 지난 세월을 더듬었다.

오늘의 나를 한참 동안 매만져 보았다. 발자국을 깊게 만들려고 무겁게 발을 한발한발 옮겨 놓았다. 발자국 하나에 기억 하나씩, 발자국 하나에 상처 하나씩, 그렇게 걸었다. 때로는 한 쪽은 내 발이 되었고, 다른 한 쪽은 다른 사람의 발목이 되어 모래를 깊숙이 밟아주었다. 절절한 가슴과 고독한 영혼의 흔적을 깊숙하게 눌러 새겼다. 파도는 끊임없이 밀려오고 밀려갔다. 그러면서 내가 새긴 발자국을 지워갔다. 나의 상처도 지우고 내가 데려간 마음 속 사람의 상처도 하나 하나 지워갔다.

뒤를 돌아보지 않으며 앞으로만 걸어갈 수 있고, 설령 뒤를 돌아보아도 파도에 씻긴 듯 우리의 발자국이 지워질 수 있다면 좋겠다고 생각했다. 뒤돌아보면 지나 온 발자국은 보이지 않고 말끔한 빛깔로 매만져진 모래처럼 삶이 그러하면 좋겠다고 생각해보았다.

오랫동안 찾아나선 나는 어디에 있을까? 파도는 밀려와 발자국을 지우고, 나는 이제 뒤돌아볼 필요가 없다. 바닷가를 따라 계속 앞으로 걷는다. 온몸으로 바다를 느낀다. 가슴 속에 바다를 담는다. 영혼 깊숙한 곳에서 바다의 내면과 대화를 나눈다. 내가 찾아나선 사람, 오랜 기다림으로 아플 만큼 아파하면서 지금까지 찾던 진짜 내 모습은 그 바다의 깊은 곳에 있었다.

나는
오늘을 산다

———

　연일 비가 내린다. 아직 8월이 열흘은 남았는데 벌써 가을이 온 듯, 낙엽 지는 계절을 부르는 비가 그칠 줄 모른다. 출근 길에 가을 자켓을 걸쳤다. 오늘 점심에는 홍차오 공항으로 도착하는 사랑하는 후배, 장재흥 시인을 데리러 가야 한다. 그와 함께 가을의 입구에서 사색의 시간들을 보내려고 한다. 내 인생의 귀한 벗으로, 건조하고 단순해진 내 몸에 음악과 시와 생각들, 감성들의 비를 데리고 오는 사람이다. 나는 그를 어떻게 행복하게 해줄 것인가?

　지난 일요일 오후에 도착한 손님, 대구에 사는 이 사장과 어제 밤까지 삼일 연속 저녁을 같이 먹었다. 손자가 5살이라는 그는 60세 전후의 나이로 보인다. 아들과 딸이 모두 결혼

했다는 그는 이제 조그만 개인 사업을 시작하고 있다. 젊어서 잠깐 직장 생활을 한 후에 오랜 동안 개인 사업체를 운영해오면서 사업의 부침을 겪었다고 한다. 최근 이삼 년 동안은 기계 제작 업체에서 기계 조립 등의 업무를 하며 개인적으로 알고 지내던 회사 사장을 도왔다고 했다. 무거운 기계를 들고 여름이든 겨울이든 대형 설비를 조립하는 육체 노동은 그의 건강을 다소 멍들게 했다고 한다. 지금은 대구에서 그동안의 경험을 살려 무역을 시작하고 있다.

그와의 첫 만남은 지난해 2월 설날이 지나고 우리 회사 상숙 공장에 반입된 기계를 조립하여 설치하던 때였다. 한국에서 수입한 설비가 공장에 도착한 후 설비 공급 업체에서 세 분이 출장을 왔다. 기계를 조립하던 이 사장이 나에게 보여준 첫 모습은 기계를 조립하는 엔지니어의 모습이었다. 두 번째 만남은 서울 홍대 부근 카톨릭청년회관에서였다. 올해 2월에 이라희 가수의 찬조로 작년 11월 말에 출판한 〈선한 영향력〉의 북콘서트를 할 때, 그는 대구에서 일부러 서울까지 올라와 행사에 참가해주었다.

오늘 아침 상하이 푸동 공항을 거쳐 대구로 귀국하는 그와 함께 했던 세 번의 저녁 식사를 떠올려본다. 그는 지금 이 시간, 회사 운전사가 운전하는 차를 타고 푸동 공항으로 가는 중이다. 그가 요 며칠 내게 했던 말이 오래 머릿속에 자리를 잡고 떠나지 않는다. 처음에 그는 나에게 기계를 공급한 거래 회사의 직원으로 왔었지만, 두 번째는 <선한 영향력>의 독자로 나를 찾았다. 세 번째 만남인 이 번에 그는 개인 무역을 하는 사장으로서 우리 회사와 거래를 하기 위해서 왔다. 독자이면서 거래처 사장의 신분을 합한 모습으로 왔다. 낮에는 우리 직원과 소싱할 제품의 공장들을 다녔고, 저녁에는 식사와 가벼운 반주, 커피를 마시면서 그의 이야기를 들을 수 있었다.

그는 내 책을 읽고, 카톨릭청년회관에서 가졌던 북콘서트에서 내가 했던 강의를 듣고, 할아버지가 된 그의 삶에 위로를 받았고, 다시 젊게 시작할 용기와 격려를 받았다고 한다. 인생의 후반전을 다시 젊게 시작하기로 했단다. 나처럼 책을 읽는 것을 좋아한단다. 그는 나에게 당부처럼 세 번의 저녁 자리에서 말을 했다. 건강하게 오래 살면서 좋은 모습을 계속 보여달란다. 좋은 글을 쓰고 책도 많이 내란다. 서로의 우정을 잘 가꾸어 사업을 떠나 개인적으로 펑요우(친구)가 되어 오래 같이 하고 싶다는 말을 했다.

그분의 말을 들을 때 두 가지 생각이 내 머릿속을 스쳐가고 있었다. 하나는, 지금 내 눈앞에 있는 분은 내 책을 읽은 후 지금의 나와 내 책에 있는 나를 똑같은 사람으로 인식하고 있는 것은 아닌지 생각해보았다. 책을 쓸 당시의 모든 글은 진실된 나였지만, 책은 출판되면서 이미 나를 떠났다고 생각한다. 과거를 내려놓기 위해서 썼던 책, 내일을 달리 살고 싶어서 썼던 책이었다. 책은 세상에 나갔고 나는 그 후로 계속 살아왔다. 책 속에 박제된 나의 과거는 이미 오늘의 내가 아닌 채 나는 오늘을 살아가고 있다. 독자인 그는 나를 좋게 평가해주고 있으나 저자인 나는 여전히 내가 부끄럽다.

지난 날은 이미 나에게서 떠났고, 나는 내일의 꿈을 꾸며 오늘을 살아가고 있다. 여전히 돌부리에 채여 넘어지기도 하고, 우산이 없어 느닷없이 쏟아지는 소나기에 무방비로 온몸이 젖기도 한다. 독자들은 내 책을 통하여 나의 과거를 보았고, 그 결과 나를 나의 과거로 인식하고 있는 것은 아닌지 잠시 생각에 잠겨보았다.

또 하나의 생각은 이랬다. 나를 찾아온 손님, 그가 나를 보고 싶어서 상하이에 왔다고 여러 번 말을 할 때, 내 의식 안에서 바다가 펼쳐졌다. 물결이 끊임없이 유동하는 바다, 잔잔하게 거칠게, 평온하게 광폭하게, 늘 겉모습을 뒤바꾸는 바다가 떠올랐다. 그 바다의 겉과 속 모습이 내 몸 안으로 밀려 들어오는 이미지를 떠올렸다. 오늘 아침 비에 젖은 바깥 바람이 차갑고 거셌다. 이런 날에는 바다의 표면도 심하게 흔들릴 것이다. 나는 그 바다가 되어야겠다고 생각을 했던 것이다.

말도 안 되는 나의 상상력은 얼마 전 한국을 다녀갔던 교황의 모습을 떠올리기 충분했다. 마음 아픈 사람들, 어린 아이들, 억울한 사람들, 약자인 사람들을 진심으로 위로해주고 기도해주던 교황의 모습을 생각했다. 바다와 교황, 나는 교황처럼 바다가 되고 싶다는 생각을 했다.

내가 좋아하고 내가 만나고 싶은 사람들과 나를 좋아해주고 나를 찾아주는 반가운 사람들을 머릿속으로 떠올릴 수 있다. 같이 있기만 해도 행복감이 가득하고, 영감이 밀려오는 것을 느끼게 해주는 사람들이 있다. 나의 지인이고, 벗이고, 선후배들인 그들의 이름들을 나열하여 명단을 작성하면 내가 만나고 싶어하는 사람들의 리스트가 작성될 것이다.

오늘 상하이를 떠나는 그분처럼 리스트에 올려놓은 분이 나를 찾을 때, 특히 책을 통해서 과거의 내 모습을 기억하는 사람들이 나를 찾을 때, 나는 그들에게 바다가 되어야겠다는 생각을 해보는 중이다. 비록 오늘을 살아가는 내 삶의 표면이 그날그날의 기후 조건으로 수없이 모습을 달리하더라도, 바다인 나는 깊은 곳에서 영원히 흔들리지 않는 모습으로 나의 존재를 가꾸고 싶다. 그렇게 나를 바다로 인식하고 싶다.

그런 바다를 찾아오는 수많은 물길, 나는 그 물길들을 따뜻하게 받아줄 것이다. 당신이 인식하고 있는 나는 나가 아닙니다. 나는 그렇게 훌륭하지 않고 부조리가 많아요. 혹은, 나는 그렇게 부족하지 않아요, 그런대로 괜찮은 사람이에요. 이런 모든 생각이나 말들, 내가 가지는 자의식을 내려놓으려 한다. 내 앞에 누군가 섰을 때, 그가 나에게 말을 할 때, 나는 내가 나를 어떻게 인식하든, 내 바다의 피부가 어떠하든, 바닷속 깊은 존재감을 지키며 그들을 받아들이기로 할 것이다.

건방진 상상이겠지만, 한국을 다녀간 교황을 떠올리며 나도 그리하겠다고 마음 먹는다. 내게 오는 모든 사람들 앞에서 자기 인식 혹은 자의식이라는 것을 내려놓을 것이다. 늘 모습이 바뀌는 바다의 표면으로써가 아니라 바다의 내면으로 그들을 대할 것이다. 눈앞에 있는 사람에게 따뜻한 눈길, 부드러운 마음, 바다와 같이 포용하는 마음을 전할 것이다. 나는 그런 바다가 될 것이다. 사람들이 바다에 와서 위안을 얻는다면, 나는 기꺼이 내가 나를 인식하는 과거, 현재를 모두 내려놓을 것이다.

어제를 내려놓을 것이다. 어제 쓴 책을 내려놓을 것이며, 어제 쓴 책을 읽은 사람들이 나를 어제의 나로 인식하고 있는 것에 대한 부담을 내려놓을 것이다. 오늘과 내일이라는 새로움 속에서 바다가 되어 세상을 안아줄 것이다. 내게로 오는 수만 갈래의 물길을 사랑하고 따뜻한 위안이 되어줄 것이다. 조금 후 나는 홍차오 공항에 가야 한다. 그는 어떤 굽이들을 거쳐서 내게로 오는 물길일까?

나는
누구인가

상하이에서 20년 가까이 살아서 그런지 여름 초입에는 무덥지 않다고 생각하며 하루를 보내고 있던 중이었다. 최근에 상하이에 거주하며 사업을 하기 시작한 한국인 지인이 스마트폰에서 상하이 기온이 38도임를 알려주는 화면을 캡쳐하여 SNS에 올려놓았다. 상하이에 오래 살다 보니 이곳 날씨에 이미 적응한 사람과 한국의 기후에서 살다가 새로운 환경에 적응해가야 하는 사람의 차이에 살짝 웃음이 나왔다.

허락도 없이 내 집에 들어선 낯선 사람처럼 강한 햇빛이 책상에 앉아있는 나를 불편하게 한다. 누군지 확인해보듯 하늘을 올려다보니 자신을 태우는 불덩어리도 소방수를 만난 듯 잿빛 구름들이 몰려오는 것을 어찌하지 못하고 무방비로 그곳에 있다. 아마 내일부터 이삼 일은 태양도 얼굴을 못 내밀 것 같은 분위기의 아침 하늘이다.

한국의 본사 법인으로부터 직물을 수입하여 중국의 유명브랜드 의류 업체들에게 내수로 판매하는 김 사장과 그의 동료 부사장을 어젯밤 횟집에서 만났다. 그들은 상하이에 판매법인을 설립하여 4년째 경영 중이다. 중국의 주요 수요 지역에 판매거점을 확보하기 위해서 몇 개의 도시에 판매사무소를 세울 예정이란다. 선전에는 이미 사무소를 세워 몇 명의 직원이 일을 하고 있고, 지금은 북경 사무소를 셋업 중이라고 한다.

중국에 이십 년 가까이 살았지만 아직 턱없이 부족한 나를 멘토로 생각해주는 40대 초반인 그들의 이야기를 듣다 보면 거꾸로 내가 배워야 할 내용들이 더 많다. 열정이 없는 사람들과 같이 했던 술자리는 안 마셔도 될 술을 마셨다는 후회를 불러오기도 하지만, 거침없는 도전, 도저히 말릴 수 없는 뜨거운 가슴, 사업에 대한 몰입으로 그들이 내게 보여준 모습들은 오늘 아침 출근 길에 마신 아이스 아메리카노처럼 하루를 상쾌하게 깨운다.

창문의 블라인드를 내리니 나무 그늘에 앉아있는 듯 방안이 고요해졌다. 에어콘으로 충분히 서늘해진 사무실, 직원들이 출근할 시간을 기다리며 홀로 앉아 "나는 누구인가?"라는 질문을 스스로에게 던져본다. 어제 밤 그들이 본 내가 나인가? 아니면 내가 생각하는 내 모습이 나인가? 아니면 두 가지의 시선 그 중간 어느 지점이 나인가?

생각을 끌고 가려던 참에 메시지 알람이 울렸다. 며칠 전 식사를 같이 했던 젊은 청춘, 상하이에서 조그만 사업를 운영하면서 더 큰 미래를 꿈꾸고 있는 잠재적 기업가가 보내온 메시지였다. 그 내용이 오랫동안 내 눈길을 붙잡았다. 약간은 길게 쓴 아침 인사에서 그는 나를 이렇게 묘사하고 있다. "박 대표께서 앞으로 신규사업을 하실 때는 박 대표님 경영방식의 장점을 극대화하면 좋지 않을까 생각합니다. 박 대표님이 쓰신 책을 읽고 직접 뵈면서 느낀 점은 박 대표님은 사람을 아껴주고 그들을 길러 훌륭한 인재로 만들어내는 분이란 생각을 했거든요."

내 안에 있는 나는 누구인지 질문을 던지면서 조금 더 내면으로 내려가 보려고 호흡을 가다듬는 참에 잠깐만 하고 나를 부르던 그의 메시지에서 잠시 방황했다.

나를 아는 많은 사람들 머릿속에 나에 대한 이미지가 있을 것이다. 가까이는 한 지붕에서 사는 가족에서 집을 나서면 헤아릴 수 없이 많은 관계들까지 그들 속에 나에 대한 평가가 있을 것이다. 그들은 나를 누구라고 생각할까? 사람으로 태어난 이후 타자와 구분하여 특정인을 존재시키기 위해 만든 이름으로 내가 누구라고 규정하는 것을 넘어서서 그들은 나를 누구로 생각하고 있을까? 셀 수 없이 많은 개개인처럼 나를 바라보는 관점도 그 정도로 모두 다를 것이다.

그들 한 사람 한 사람이 생각하는 내가 나인가? 아니면 그들 생각들의 합과 평균이 나인 것인가? 아니면 오직 내가 생각하는 내 모습이 나는 누구냐는 질문에 대한 유일한 정답인가. 혹은 내가 생각하는 나와 나를 아는 사람들이 나라고 생각하는 그 모든 관점과 인식들의 평균, 혹은 그 사이 어느 지점에 나의 진정한 모습이 있는 것인가?

나는 누구라고 정의하기가 어렵다. 내가 생각하는 나, 내 안의 생각이 수시로 나는 누구인가, 라는 질문에 다른 대답을 내어놓기도 하고 대답을 할 수 없기도 하다. 나를 아는 사람들 역시 그들이 나를 바라보는 시각도 그 자신이 그를 생각하는 것처럼 수시로 바뀔 수 있다. 그러니 나는 유동적이다. 늘 물결치는 파도이다. 고정되어 있지 않다. 어찌 보면 나는 셀 수 없이 많은 나이다.

내가 아는 사람, 나를 아는 사람의 이름을 하나하나 불러본다고 하자. 그들에게 나를 어떻게 생각하는지 나는 누구인지 적어보도록 주문해보자. 모든 대답의 빛깔이 다를 것이다. 질문지에 대답을 쓴 그 사람이 누구인가에 따라서 색조를 달리할 것이다. 그러니 나는 수많은 나이다. 이 사람의 머리에서 저 사람의 머리로 이동할 때마다 나는 바뀌어가는 것이다. 평행우주이론에서 이야기하는 것처럼 수많은 우주가 있고, 각각의 우주인 사람들 속에서 나는 개별적으로 다른 모습이 된다. 어느 우주에서는 존경 받는 경영자이고, 어느 우주에서는 그저 그런 남자일 것이다.

토양이 다르고 구성 물질이 다른 각각의 우주에게 나는 이런 사람으로 존재하고 싶다고 주장할 수 없다. 내가 더 많은 사람들을 알아갈수록, 더 많은 사람들이 나를 알아갈수록 나는 더 많은 내가 되어갈 것이다. 더 많은 우주에 동시적으로 존재해 나가게 될 것이다. 이렇다라고 불가변의 정의로 규명해낼 수 없는 나, 오늘도 나는 여러 우주에서 순간 이동을 경험하게 될 것이다.

내가 할 수 있는 일은 다만, 생명을 키워내는 물질들과 자기가 키워낸 것들을 선하게 가꾸어 내는 토양이 있는 우주들을 더 많이 발견하는 일, 그런 우주들 가운데 더 오래 나의 존재함을 붙잡아 두는 일, 이러함이 여전히 변화 중인 나를 선하게 창조해나가는 방법이 될 것이다.

끝없이 유동하는 파도, 한순간도 똑같은 모습으로 고정된 경험이 없는 그 물길, 사람들은 그를 바다라고 한다. 바다는 어떻다고 이야기한다. 나는 과연 어떤 바다인가?

도로 위에서

    구베이루에서 우종루로 접어들었다. 외환선 방향으로 이어지는 도로와 하늘이 눈에 들어왔다. 길 양옆으로 이런 저런 간판을 걸어 내놓은 가게들과 빌딩들을 눈으로 하나씩 지워 나가며 천천히 자동차를 앞으로 몰아갔다. 차 안에서는 마침 임재범의 '사랑'이라는 노래가 공간을 가득 채우고 있었다. 담배를 많이 피울 것 같은 가수의 목에 소리를 변형시키는 무엇이 걸쳐 있는지 그의 목소리는 가을의 낙엽이 몸을 부비는 소리를 닮았다. 작년 가을에 처음 만난 '사랑', 나는 가사를 하나하나 음미하며 '마중물'이라는 단어를 매만져본다.

    나탈리 골드버그가 말하는 야성이 있는 공간으로 들어가

야 한다고 생각했다. 글을 뽑아 올리기 위해서는 내 안의 생각도 없고, 인식도 없고, 글도 없고, 나도 없는 그 공간으로 들어가야 한다. 임재범의 사랑은 작년 처음으로 책을 써보려 하던 나를 데리고 그 깊은 곳에 이르게 했다. 창문 밖을 아무 생각 없는 시선으로 한참을 응시할 때도 그의 노래는 그 아무 생각조차도 없는 오직 감각만 있는 무의식의 세계로 나를 이끌어 주었다. 이런 마중물 같은 노래가 하나 더 있었다. 강허달림이라는 네 글자의 이름을 가진 여가수다. 한 마디 한 마디가 그녀의 입을 떠나 허공과 만날 때 바람은 달달하고 쌉쌀한 물기에 젖는 것만 같다. 듣는 자로 하여금 자기 내면 안에 있는 과거의 책장을 뒤지게 하는 목소리다.

마른날 시골 길에 버스가 지나가면서 일으키는 먼지 바람처럼 흐릿하고 탁한 회색 구름이 하늘에 가득하다. 구름이 하늘이고 중간 중간 공간으로 흐릿한 푸른 빛이 구름인 줄 알았다. 우종루에서 홍쉬루 사거리를 지나쳐 그냥 똑바로 직진하던 때였다. 나는 지금 여름을 운전하는지, 가을 속을 운전하는지도 모른 채 직진을 하고 있었다. '사랑'이라는 노래는 시간을 하늘에 걸린 구름처럼 흩트리고 있었다. 몸의 감각은 이제 생각을 벗어버리고 허공을 쫓는 것 같기도 했다. 작년의 가을을 운전하는 것 같은 느낌이 들었다. 이 노래에는 사랑에 대한 아련한 아픔이 묻어있다. 타자의 이야기일 뿐인 노래 가사를 들으며, 사춘기 소년처럼 그의 감정에 동화되는 독자가 되곤 한다.

도로 위에서 운전하는 나는 이제 허공을 나르는 상태로 서서히 진입해가는 것 같았다. 눈을 감을 수 있을까? 빗장을 걸어 잠그듯, 지퍼를 채우듯, 두 눈동자의 위쪽과 아래쪽의 피부를 맞물려 봉합하고 온몸의 힘을 발에 집중하여 액셀러레이터를 밟아보고 싶었다. 저 구름을 통과하면 그 뒷마당에는 무엇이 있는지, 구름을 통과하면 어떤 세계까지 넘어갈 수 있는지 내달려보고 싶었다.

흐릿한 대기 속에서 태양은 아직 아침 기운을 차리지 못하고 있을 때였다. 시간은 빛의 속도라고 했으니 오늘처럼 빛이 맥을 못추는 날이 빛보다 더 빠른 속도로 운전하기에 딱 좋은 날일 것 같았다. 온몸이 분해될 정도로 달려서라도 과거의 어느 지점으로 사뿐히 착륙하고 싶었다.

과거 어느 한때의 시점으로 돌아가 있는 상상 속의 나는 2014년 7월 30일 우종루를 운전하던 나를 바꿀 수 있을 것인가? 더 잘난 사람으로 더 인품이 좋은 사람으로, 오십여 년을 살아오면서 실수 같은 것을 해보지 않은 사람으로, 완벽하게 성공한 사람으로, 매일 행복하게 사는 사람으로 바꾸어

놓을 수 있을 것인가?

문득, 지금의 나는 미래의 어느 시공간 한 지점으로부터 오늘로 타임머신을 타고 돌아와 있는 것인지도 모른다는 생각이 들었다. 미래의 내가 과거가 된 지금의 시간을 바꾸기 위해, 현재로 돌아와 살아가면서 혹시 떠나온 미래의 모습을 완전히 망각하고 있는 것은 아닐까? 마찬가지로 현재로부터 과거로 돌아간 나 역시 우종루의 오늘 아침에 누적되어 있던 나의 현재 모습을 완전히 잊고 그냥 과거의 사람으로만 살아가면 어떻게 하나?

타임머신의 문제점은 출발점과 목표지점 사이를 왕복하지 않는다는 데 있는 것 같다. 빛의 속도인 시간을 앞질러 비행하는 동안 타임머신은 자신을 완전히 연소시켜버린다. 더 이상 다시 운전할 수 없는 상태에 이르게 되는 것이다. 다른 시공간을 선택하여 과거의 어느 시점으로 순간 이동을 하게 되면 그곳에서는 어쩔 수 없이 시간의 속도에 맞게 살아가야 하는 것이 타임머신의 치명적인 문제점이다.

나는 과거로 돌아가기를 포기한다. 과거의 어느 지점으로 돌아갔다가 지금의 나로 돌아올 수 없다면 사랑하는 사람들을 어떻게 만날 수 있단 말인가? 지금의 나를 수리하기 위해 과거의 어느 시간으로 잠시 여행을 해보고 싶은 이유는 지금의 나를 충분히 사랑하기 때문일 것이다. 지금으로 돌아올 수 없다면, 그래서 지금의 내가 존재하지 않게 된다면 굳이 타임머신을 탈 필요가 있을까 싶다. 살다 보면 더 이상 지금의 내가 나로 존재하지 않는 세계에 들어가게 되는 것이 자연의 섭리인데 말이다.

설령 타임머신을 타고 자유자재로 과거로 갔다가 성형수술 하듯이 과거의 실수들을 수리하고 다시 현재로 돌아올 수 있다고 해보자. 때로는 미래로 가서 그곳의 내 모습을 미리 살펴보고 현재로 돌아와 현재를 수리하는 것이 가능하다고 해보자. 이 또한 얼마나 끔찍한 일인가. 과거가 바뀌면 현재가 바뀔 것이고 미래를 알면 현재를 또 바꾸고 싶어 할 것이다. 그렇다면 나의 현재란 영원히 존재하지 않는 구름에 불과하지 않겠는가? 사랑하고 자랑스러운 아들, 딸, 그리고 아내, 나는 이 가족을 선택하여 현재를 살고 있다. 괜히 과거로 돌아가 현재를 더 좋게 만들겠다고 어설프게 손을 대었다가 지금의 가족에게로 돌아올 수 없다면 얼마나 끔찍한 일이 되겠는가?

프로스트는 그의 시 <가지 않은 길>에서 말한다. 노란 숲속에 똑같이 아름다운 두 갈래 길이 있었고, 나는 하나의 길을 선택했다고. 선택하지 않은 길은 아쉽지만 다음 날을 위해서 남겨두었다고 말이다. 영국 시인 존 밀턴은 "인간은 어떤 선택을 해도 후회하기 마련이다."라고 했다. 훗날 가지 않은 길을 바라보면서 한숨 쉬지 않으려면 자신이 선택한 길에 최선을 다해야 한다. 비록 험난할지라도 그 길을 선택한 용기의 의미와 선택의 가치를 아는 사람만이 인생의 길 끝에서 환하게 웃을 수 있다, 라고 했다.

사랑하는 사람들 곁으로 돌아올 수 있다는 것을 보장하지 않는 타임머신에 승차하지 않으려다. 지금 내게 있어서 가장 의미가 있는 현재, 그 안에 나와 같이하는 사람들 곁을 이탈하고 싶지 않다. 나보다 더욱 중요한 사람들 곁에 있으면서 과거와 미래로 자유롭게 시간 여행을 할 수 있는 방법은 이미 내 안에 있다. 글을 쓰면 된다. 글을 쓰면 나는 시공간을 마음대로 여행할 수 있다. 그런 타임머신에 승차하는 데는 오직 손가락이 필요할 뿐이다.

커피를 마실 때

나는 한밤중에도 자주 커피를 마신다. 시간이 밤 12시를 넘긴 후에도 때로는 새벽 2시, 3시가 된 시간에도 홀로 주방에 슬며시 들어가 커피포트에 물을 끓이고 갈아둔 원두커피 봉지를 꺼내어 머그잔 위에 커피를 천천히 드립한다.

검붉은 커피가 여과지를 통해 충분히 잔에 잠기길 기다리는 시간 동안 내 시선은 때때로 주방의 창문을 통해 아파트 단지에 가득한 나무들로 옮겨진다. 나무들을 감싸고 있는 하늘을 본다. 그 하늘을 덮은 어둠을 본다. 그 어둠이 그날 그날 내게 걸어오는 언어들을 바라본다. 내가 바라보면 말을 걸어오는 언어들은 그날의 자기만의 정서로 나를 따라서 내 방으로 혹은 내가 책을 보는 테이블로, 의자로, 창가로 따라

온다.

대부분 사람들이 잠든 밤중이나 여명이 오기 전 가장 어두운 새벽에 커피를 마시기 위해서는 준비가 필요하다. 분위기를 잡아야 하는 리츄얼이 있다. 책상 옆의 창문을 열고 노트북에 리시버를 꽂아 음악을 들어야 한다. 마치 의식을 하듯 이렇게 준비가 되면 오른손으로 커피가 든 머그잔을 들어 올리고 왼쪽 손바닥으로 따뜻한 잔의 바닥을 감싼다. 온기를 느끼면서 오른손, 왼손 그 포즈 그대로 양팔을 들어 올려 입으로 가져간다.

입술을 델 정도로 뜨거운 온도를 조금씩 홀짝거린다. 한 모금 한 모금 홀짝거림에 간격을 둔다. 커피가 입술을 지나 혀를 데우고 목구멍 안으로 흐르는 것을 느끼면서 나의 감성들과 생각들도 홀짝거리기 시작한다. 한 잔의 커피를 다 마시기까지 내 머리를 순간적으로 스쳐 간 생각들은 도대체 몇 가지일지 모를 일이다.

사람이 하루에 생각하는 것이 약 6만 개 정도라고 한다. 과학자들이 연구했다는 말을 책에서 보았다. 한 잔의 커피를 마시는데 5분 정도 걸린다면 커피를 홀짝이는 동안 나의 머릿속에는 약 이백 개의 생각들이 스치고 지나간다는 이야기가 될 것이다. 하지만 한 잔의 커피를 마시면서 내 머릿속을 다녀가는 생각들이라고 내 스스로 인지할 수 있는 생각은 그 정도까지 많지는 않다.

커피 한 모금 홀짝하며 내 인생 전체를 통째로 홀짝거려 본다. 과거를 한순간의 느낌으로 압축하여 불러내기도 한다. 느닷없이 아직 모르는 미래의 시간들을 당겨와 홀짝거려 보기도 한다. 잠들어 누워 있는 상하이의 밤을 홀짝거려 보는 일도 있다. 낮 동안 거래처 사장과 나누었던 이야기와 직원들의 모습으로, 또 다른 곳으로 커피의 한 모금은 나를 정처 없이 데려가곤 한다.

커피 한 모금은 그 맛, 그 색, 그 본질이 수없이 가변적이다. 한 모금 한 번 홀짝 할 때마다 그 변함이 끊임없고 규칙성이란 것도 없다. 커피가 생각을 이리저리 끌고 다니는지 생각이 커피의 본질을 이래저래 뒤바꾸고 있는지, 생각이 아닌 느낌이란 것이 그 한 모금의 진실을 마구 다르게 창조해내는 것인지 알 수가 없다.

커피 한 모금 홀짝거리는 시간 동안 내 생각은 동에서 서로, 하늘에서 땅으로, 바다에서 육지로 마구 날아다닌다. 순간 자유 이동이다. 순간적으로 우주의 저 끝에 가기도 하고, 다시 눈앞의 책, 핸드폰의 메시지 위로 오기도 한다. 커피 한 모금 홀짝하는데 수많은 우주가 동원되기도 한다. 다른 우주에 있는 나를 불러내기도 하고, 때로는 여러 우주에 있는 여럿의 나를 불러내기도 한다. 인생은 커피 한 잔의 홀짝임으로도 수 없이 그 모습을 뒤바꾼다. 나를 우주의 크기로 확대하기도 하고 눈에 안 보이는 미립자의 무존재 같은 허무로, 본질로 축소하기도 한다.

커피를 한 모금씩 홀짝인다는 것, 이것은 분명히 나를 데리고 떠나는 감성 여행이며 생각 여행이다. 내게 다가오는 언어를 듣게 하고 눈을 감아도 내 눈앞에 그림을 펼쳐 보여주는 마법이다. 때로는 나를 지극히 고양시키고, 때로는 나를 저 땅 속 어두운 질식의 갱도로 끌어내린다.

커피 한 잔을 마시는 것, 예술 같은 인생을 창조하는 심미적 행위이며 철학 행위인 것이다.

페르소나

　공연을 시작한 이후로 한 번도 멈추어 본 일이 없다. 하루 종일 24시간 내내 공연은 계속되어왔다. 하루도 쉼 없이 진행되어 온 공연이다. 그렇게 매일 공연한 연극이 이제 50년을 넘어섰다. 주연 배우인 나는 숱한 조연들과 함께 무대에서 호흡을 해왔다. 무대 인생 벌써 오십여 년이다.

　처음 공연을 시작했던 유년 시절에는 엄마 아빠가 조연이었고, 조금 성장해서 학교에 다닐 때는 친구들, 선생님들이 조연을 맡아 주었다. 무대를 사회로 옮긴 뒤에는 직장 동료들, 상사와 부하들, 먹고 살기 위해서 일을 하며 만나는 사람들로 조연 배우들이 바뀌었다.

　연기를 해온 무대의 장식은 자주 바뀌어왔다. 어린 시절의 무대는 푸른 구름이 하늘에 걸리고 예쁜 꽃들이 밝은 햇살을 받아 미소 짓는 배경을 주로 사용했다. 삼사십대 젊은 시절에는 작렬하는 태양과 브레이크가 고장 난 자동차의 고속도로 주행, 그런 광폭한 모습이 자주 배경으로 등장하곤 하였다.

오십을 넘으니 무대가 다시 또 바뀌기 시작했다. 달리던 자동차는 무대에서 사라졌다. 조연 배우들 중 일부가 퇴장하고 새로운 사람들이 조연이 되어 주연인 나와 호흡하기 시작했다. 무대에는 책꽂이가 등장했고, 음악이 배경으로 깔리기 시작했고, 벽면에는 그림들이 걸렸다. 분위기는 글을 쓰는 작가의 방처럼 준비되었다.

잠을 자는 연기를 하는 것은 쉬운 일이다. 문제는 잠자리에서 눈을 뜬 아침부터 밤에 잠자리에 들기 전까지 연기를 하는 일이 때때로 쉽지가 않다. 요즘은 관객들이 조금 더 늘어난 듯하다. 오십여 년 공연을 해오다 보니 이제는 주인공을 알아보는 사람들이 좀 더 늘었고, 그들 중 일부는 열심 관객이 되어 나의 연기를 보고 있는 듯하다. 원래 연기로 무슨 인기를 얻고, 그 인기로 먹고 살겠다고 하는 것이 아니었기 때문에, 나로서는 관객이 늘어갈수록 연기가 쉽지 않음을 느끼게 된다.

연기를 시작했던 목적은 누구에게 보여주고 인기를 얻고자함이 아니었다. 그냥 연기를 하면서 내 스스로 행복하자고 생각했었다. 연기를 하다 보면 더욱 성숙해지는 나를 찾을 수있을 것 같았다. 끝낼 수도 없는 공연이다. 주연인 나를 퇴출시키지 않는 조연들 속에서 나는 그들의 연기에 반응하며 주연 배우로서 마땅히 맡은 역할의 연기를 해야 했다.

주연인 나는 수많은 페르소나를 연기한다. 일인다역이다. 무대가 가정이 되면 아빠의 연기, 남편의 역, 아들로서의 연기를 해야 하고, 무대가 사회가 되면 더 다양한 배역을 떠맡아연기를 해야 한다. 관객들은 나의 다양한 페르소나 연기 중에서 그들이 보고 싶은 부분만 보는 것인지도 모른다. 어떤관객들은 나의 회사 생활 연기만을 보고, 어떤 관객들은 나의 가정 생활 연기만을 보기도 한다. 주연인 내가 수많은 역할을 연기한다는 것이 쉬운 일은 아니다. 어떤 역할은 아주쉽고, 어떤 역할은 갈수록 쉽지 않다.

수많은 배역 중에서 갈수록 적응하기 힘든 배역의 페르소나를 쓰고 연기를 하다 보면 몸과 마음에서 에너지가 빠져나가 버리는 듯하다. 앞으로는 너무 많은 배역을 맡지 않도록일부의 무대에서는 내려서야 할 것 같다. 많은 배역을 맡으려는 것도 욕심일 뿐이다. 결국 언젠가는 무대에서 불이 꺼지고 다시는 그 무대에 오르지 못할 날이 올 것이다.

내가 잘 할 수 있는 연기에만 집중해야 한다. 쉽지 않은 배역은 아예 맡지 않는 것이 좋겠지만 그래도 조연 때문에 계속해야 한다면, 서투른 연기로 관객들의 호흥을 얻으려는 마음을 포기하는 것이 좋겠다. 그저 조연이 주연인 듯 떠받들며 호흡을 맞추어 주는 일에만 몰두하는 것이 좋겠다.

너무 많은 관객을 받아들이지 않도록 해야겠다. 관객 수를 줄이는 방법은 여러 배역 중에서 포기해야 할 역할을 과감하게 포기하는 것이다. 쓰고 싶지 않은 페르소나를 벗는 것이다. 마음에 없으면서 거짓으로 연기하는 그런 역할을 하지 말아야 한다. 집중할 몇 가지 배역들을 연기하자면 페르소나와 페르소나 사이에 충돌이 있겠지만, 버릴 것은 버리고 선택한 역할들을 진지하게 잘 연기할 수 있도록 노력해야겠다. 일인다역의 연극처럼 역할이 바뀌면, 내게 씌워진 페르소나에 어울리는 연기를 해야 한다. 하루에도 몇 번씩 바꾸어 써보는 몇 가지 다른 페르소나들 사이에서 갈등을 느끼지 말아야겠다.

시계에
없는 시간

　스마트폰을 꺼내어 지금이 몇 시인지 살펴본다. 오전 11시 11분이다. 오늘이 며칠이었지? 26일인가, 27일인가? 컴퓨터 모니터의 오른쪽 아래 귀퉁이를 살펴본다. 2014년 1월 26일, 오전 11시 13분을 지나고 있다. 결혼 후 약 3년 동안 차고 다녔던 시계를 중국 천진에 출장 갔을 때 호텔 방에 놓아둔 채 한국으로 돌아온 이후 지금까지 손목시계를 차고 다니지 않는다. 손목에 뭔가가 걸려있는 무게감이 싫어졌다. 시계는 남들이 차고 다니면 되고 나는 입이 있으니 물어보면 되는 일이었다. 손목에 걸쳐 있지는 않지만 시계는 늘 내 주변에 있다. 주변 사람의 손목 위에 있고, 스마트폰에 있고, 노트북과 데스크톱 모니터에 있고, 길거리에서 만나는 상점 안 벽에 걸려 있고, 자동차 안 오디오에도 있다. 무수히 많은 시계들 속에서 나는 필요한 순간마다 찾으면 되는 일이었다.

스마트폰과 데스크톱을 통해 오늘이 며칠인지 지금이 몇 시인지 살펴본 순간, 아날로그가 아닌 디지털 시계들 속에서 나는 현재의 시간만을 보고 있을 뿐이라는 생각이 들었다. 흘러간 과거의 시간도 없고, 설렘으로 상상해보는 미래의 시간도 없었다. 오직 흐르는 물처럼, 정해진 유속으로 시계는 지금 이 순간만을 가리키며 흐르고 있을 뿐이었다. 흘러간 시간은 붙잡을 수 없다. 시계는 그것이 발명된 이래로 한 치의 오차도 없이 정확한 리듬으로 다음 순간으로 나아가고 있다.

눈에 보이는 시계를 뚫어지게 바라본다. 이미 나를 통과한 후 저 멀리 어둠 속으로 사라진 과거의 시간들을 생각한다. 째깍째깍 나를 향하여 정해진 속도로 다가오는 시간과 아직 오지 않은 시간들은 보이지 않는다. 과거와 미래, 이 두 개의 시간은 시계 속에 있지 않은 시간들이다. 시계 안에는 오직 지금만이 있을 뿐이며 흐름만이 있을 뿐이다.

흘러가 버린 시간들은 시계 속에 없다. 오직 내 기억의 창고 속에 남아 있을 뿐이다. 인류의 기억 속, 역사의 기록 속에 남아있을 뿐 시계 속에서는 찾아볼 수 없다. 내가 살아온 나날들, 그 안에서 온갖 종류의 색채였던 시간들은 이제 사라져 버렸다. 더 이상 움직이지 않는 시간들이다. 시간들이 현재의 순간이었을 때 마주쳤던 해와 달, 바람과 비, 썰물과 밀물, 기쁨과 슬픔, 하늘과 땅, 깨달음과 무지함, 순수함과 타락. 이 모든 것들은 이제 움직이지 않는 시간 속에 화석이 되었다. 지나가 버린 시간의 매 순간들을 사진으로 포착했다면, 그 사진들을 현상하여 보관하였다면 얼마나 큰 도서관이 필요할까?

사진으로 포집된 과거의 시간들은 더 이상 움직이지 않는다. 내가 특정한 날, 특정한 시간에 특정한 일을 겪었던 그 순간은 더 이상 유동적이지 않다. 변형을 가할 수도 없고, 지울 수도 없다. 그냥 그대로 화석이 된 것처럼, 사진으로 현상되어 있는 것처럼 그대로 있다.

왜 우리는 움직일 수 없는 과거의 시간들을 자꾸 불러 내려 할까? 과거에 살고 싶은 것일까? 지금 이 순간에 살지 않고, 과거의 기억 속에서 웃고 울고 싶은 것일까? 이미 박제되어 변화할 수 없는 과거의 순간들을 자꾸 끄집어 내어 오늘을 해석하려는 것일까? 너는 한때 훌륭한 사람이었다거나 너는 한때 성공했던 사람이었다고? 혹은, 너는 한 때 누군가에게 상처를 주었어, 너는 한때 지금과 달리 흐리멍덩하게 살았다는 것을 강조하려고 하는 걸까?

지금 눈앞에 있는 시계가 보여주는 시간을 바라보자. 시계가 흘러가는 방향과 역주행하여 자꾸 과거의 시간들을 바라보지 말자. 지난날의 시간은 더 이상 움직이지 않는다. 시간을 수정할 수도 없고, 그 시간들 속에서 마주했던 사건들, 사진들은 변형시킬 수 없다. 이미 떠나보낸 시간들, 박제가 된 시간들, 화석이 되어버린 시간들, 그 안에 담긴 우리 자신의 과거 정보들을 완전히 무시하자. 잘 났었거나 못 났었거나, 좋은 사람이었거나 나쁜 사람이었거나.

대신 지금의 시간에 집중하자. 집중하면서 그 시간의 흐름에 맞추어 열심히 살아가도록 하자. 뉴턴은 우주 안에서의 시간은 항상 일정하다고 했다. 나의 시간이나 그의 시간이나 시간의 길이는 항상 일정하다고 했다. 내가 열심히 달리거나 느릿느릿 걸어가거나 시간의 길이는 항상 일정하다고 했다.

노력하거나 게으르거나 사람이 한 평생 이룰 수 있는 에너지는 변함이 없다는 이야기에는 모순이 있다. 그래서 아인슈타인은 시간을 다르게 정의하였다. 그는 시계 속에 없는 시간을 정의하였다. 삶이라는 무대 위에서 배우들이 제각기 다른 속도로 움직이는 순간부터 시간은 통일성을 잃게 된다고 주장했다. $E=mc^2$로 표기되는 그의 유명한 공식은 우리에게 말해주고 있다. 극소량의 질량이라 해도 일단 에너지로 변환되면 가공할 위력을 발휘하게 된다는 공식이다. 나라는 한 개체의 실존이 가진 질량이 얼마나 큰 에너지로 바뀌느냐는 m^2라는 비례상수에 의해서 결정된다.

나는 어떤 비례상수로 살아갈 것인가? 같은 무대 위에 오른 배우들이 같은 시간 상수를 갖는 것은 아니다. 시계 속에서 이미 사라진 움직이지 않는 시간을 붙들고 시계의 흐름과 반대 방향으로 걷지 말자. 눈앞의 시계, 지금 바로 이 시간에 집중하되, 뉴턴식의 시간을 사는 것보다 아인슈타인의 시간을 살아가도록 하자.

우리는 아주 소량의 질량일 뿐인 인간이지만, 엄청난 에너지가 될 수 있다는 것을 기억하자.

내가
거울을 보는 이유

　스무 살을 넘긴 아들과 딸을 둔 중년 아저씨인 나는 자주 거울을 보는 편이다. 그렇다고 외모에 신경을 쓰는 것은 아니다. 젊게 보이고 싶어 자주 거울을 보면서 머리카락을 매만지고 무스를 바르거나 맵시 있는 옷을 입고 이리저리 몸매를 살펴보는 것은 아니다. 거울에 비친 내 얼굴을 보는 것이다. 얼굴의 중심인 내 눈을 자주자주 바라보는 편이라고 할 수 있겠다.

　여자들처럼 가방에 거울을 넣어 다니는 것은 아니다. 그저 화장실에 갈 때 거울을 보거나 운전하려고 자동차에 올라타 시동을 걸 때 백미러에 얼굴을 자주 비추어 보는 것이 고작이다. 거울 안에서 크지도 않고 약간은 작다고 할 수 있는 눈동자 두 개가 내게 말하는 것을 바라보는 것이다. 그 안에 녹아있는 나의 인품, 나의 품격, 나의 감정을 바라보고, 살아온 날들이 쌓이고 쌓여 몇 줄의 문장으로 요약될 일기장 같은 눈동자를 느껴보는 것이다. 내 눈이 나의 눈동자를 바라보며, 말하자면 직관을 해보는 것이다.

너는 지금 어떤 상태인가, 그렇게 묻는 것이다. 어떤 날은 내가 참 선하게 보이고 당당해 보이고 맑아 보이고, 충분한 자존감으로 넉넉해 보일 때가 있다. 그런가 하면 또 다른 날은 슬퍼 보이는 날도 있고 피로에 짓눌린 채 지쳐 보이는 날도 있다. 무언가에 쫓기듯 삶이라는 시간 곳곳에 미련이 남은 듯 미망에 빠진 듯해 보일 때도 있다.

눈동자를 보면서 다시 얼굴의 피부를 바라본다. 피부가 노화되었는지 주름이 있는지 얼굴이 까맣게 되었는지 아니면 살이 많이 올랐는지를 보는 것이 아니다. 내가 보는 것은 피부가 착한지 아닌지를 보는 것이라고 해야 맞는 말이다. 거울을 보면 얼굴의 피부가 내게 말한다. 너는 참 착하고 선하게 생겼구나. 또 다른 날은 피부가 너는 어찌 그리 부조리하냐고 묻는 날도 있다.

고독이 온몸을 칡나무덩쿨처럼 칭칭 감아오는 것만 같은, 가슴에 물기가 많아 습지에 빠진 듯한 날들이 있을 때도 있다. 그 시간들이 지나면, 거울 속에서 내 눈동자는 더 없이 맑아져 있고 얼굴의 피부는 더욱 착하게 살찌워져 있음을 문득 보게 된다. 그래서 나는 웃는다. 외로움이 며칠 동안 내 얼굴을 충분히 말랑말랑하게 해놓은 것이다. 소리 없이 내리는 가랑비가 가슴 밭에 내려서 내 몸의 건기가 습기로 뒤바뀌면 내 눈과 피부는 더욱 착하게 바뀐다.

착해진 나는 착하게 웃기 시작한다. 풀잎의 살랑거림을 보면서 웃는다. 바람결을 느끼면서 웃는다. 나무들의 가지에서 새롭게 자라나는 여리고 순진한 연녹색의 잎들을 보면서 웃는다. 해를 보면서 웃고 구름을 보면서 웃는다. 사무실에 오면 무조건 웃는다. 사람들을 만나면 무조건 웃는다. 말을 할 때는 입가에 미소를 담아 웃으며 말한다. 슬픈 날은 더 착해진 미소로 웃는다. 외로운 날은 더 선하게 웃는다.

회사의 실적이 좋아서 이익이 많이 났다는 소식도 나를 웃게 만들고, 아들 딸의 좋은 소식이 나를 웃게 만들고, 그 밖에 내가 성취한 조그만 성과들이 나를 웃게 만들지만, 이렇게 웃고 난 후의 뒤끝은 늘 조금은 쓸쓸하다. 마음껏, 먼지 티끌 하나 내려앉지 않은 맑은 유리처럼 투명하게 웃을 수 없는 나는 그런 좋은 소식들의 뒤켠에서 혼자 더욱 외로워지는 것이다. 인생은 결국 혼자라는 깊은 심연의 바닥을 보는 심정 때문인지도 모르겠다.

웃음을 앞 마당으로 내걸어 두면 뒤안에서 고독이 나를 잡아끄는 것이다.

결국 나를 오래 웃게 하는 것은 무엇일까? 내 고독을 앞뜰에 두어야 뒤뜰에서 막힘없는 웃음을 지을 것 같다. 고독과 슬픔을 앞마당 손님처럼 반갑게 받아들여야 뒤안의 거울 속의 내가 맑은 눈동자, 거침없는 눈빛을 하고 착하게 피어오른 살갗을 갖게 되는 것이다. 그래서 나는 착하게 웃게 되는 것이다.

남자의 구두

　중국에 온 이후로 내가 매일 신는 구두에게 제대로 된 대접을 못하고 살아왔다. 한국에서 이곳 상하이로 출장을 오는 한국 손님들 중에 더러 반짝거리게 광을 낸 구두를 신은 분들을 만나게 된다. 얼굴이 비칠 정도로 잘 닦은 구두를 보는 순간, 그런 구두를 신고 있는 사람의 깔끔함과 세련됨이 내게 전달되어 구두 주인에게 좋은 평가를 주게 된다. 동시에 나의 촌스러운 구두, 손질도 제대로 하지 않은 구두를 내려다 보며 약간의 부끄러움을 느껴보기도 한다.

　중국에서 살다 보니 구두에 광을 낼 일이 없고, 광을 내줄 곳도 마땅히 찾을 수 없다는 핑계를 대왔다. 대부분의 나날 동안, 내가 신은 구두에서 거울처럼 사물을 반사해줄 정도의

광이 난다는 것은 꿈도 못 꿀 일이 되었다. 매일 나와 동행하는 구두에게 이런 푸대접을 한다는 것에 마땅히 미안한 마음을 가져야 하지 않을까 싶다.

나는 비싼 구두를 사본 적이 없다. 젊어서는 가진 돈의 여유가 없어서 싼 구두를 샀었고, 나이를 먹은 요즘은 비싼 구두를 살 정도의 돈은 있게 된 셈인데도 중국에서 살다보니 구두에 대해서 무감각해진 것이다. 멋지게 양복을 빼입고 출근하는 일도 별로 없다. 그러다 보니 값나가는 브랜드로 구두를 장만할 생각조차 해본 적이 없다.

내게 중국은 로컬이다. 언젠가 이 로컬을 벗어나 국제무대로 자주 나갈 일이 있게 되면 구두는 좀 좋은 것으로 신어주어야 할 것이다. 남자가 특별히 멋을 내려 해도 남자들의 옷이란 여성들의 옷과 달리 스타일이 다양하지 않기 때문에, 기껏해야 말끔한 양복, 와이셔츠, 넥타이, 그리고 잘 닦인 구두로 자기를 단장하는 것이 고작이다. 구두는 남자에게 분명 중요하다.

잘은 모르지만 명품 구두 하면 아마 이탈리아의 장인이 손으로 직접 만든 소가죽 수제 구두가 아닐지 싶다. 나는 아직 한 번도 그런 구두를 신어본 적이 없다. 내가 신고 다니는 구두는 인조 가죽 구두이다. 폴리에스터나 혹은 나일론으로 밀도 높은 부직포를 만들어 폴리우레탄을 합침한 인공 가죽이다. 축구공의 겉피 역시 이런 가공을 거쳐 만든 것이고, 대부분의 가죽 소파도 이렇게 만든 인공 가죽에 불과하다. 거슬러 올라가면 석유로부터 가공되어 만든 구두인 것이다. 대량 생산 시스템으로 만든 구두는 품질에서 품위가 없고, 가격이 싸게 팔리고, 수제 천연가죽 구두와는 달리 예술적인 느낌도 들지 않는다.

거창하게 형이상학적으로 이야기해서 내가 하나의 우주라고 한다면, 우주의 두 발을 감싸주고 보호해주는 구두에게 좀 더 가치와 의미를 부여해 주어야 하지 않을까? 구두 위에 올려진 사람, 그 사람 안에는 영혼과 가슴이 있고, 머리끝부터 발끝까지 쉬지 않고 순환하는 생명의 피가 흐르고 있다. 다시 말해, 구두가 엄청난 존재를 안고 있다고 말할 수 있다. 내 생명의 피가 발에 이르러 순환할 때, 그 생명에 깨끗한 에너지, 포근한 기운, 충만한 자부심을 전달해주려면 발을 감싸고 있는 구두에게 좀 더 대접을 잘 해주어야 할 것 같다.

내가 구두를 신고 있는지 구두가 나를 안고 있는지, 구두와 나는 한몸이 되어 늘 같이 다니면서도 구두가 땅과 닿아 있다는 생각에 초점을 맞추어 너무 푸대접을 한 것 같다. 구두의 안쪽에는 나의 건강, 나의 에너지, 나의 사랑의 혈류가 있다. 구두는 한 사람의 존재, 그 엄청난 우주를 감싸고 있는 것이다.

구두를 잘 대접할 일이다. 태생이 명품이든 값싼 운명으로 태어난 것이든 내 발과 인연이 된 것이 중요하다. 나의 수호자가 되기로 한 구두에게 이제라도 늘 어루만지는 대화를 해주어야겠다. 고생 많다고, 고맙다고, 이런 말을 전하면서 솔질을 하고 검은색 화장품으로 그 얼굴을 손질해주어야겠다.

지금껏 핑계 삼아 해오던 말, 중국에 살기 때문에 푸대접해서 미안하다는 말이 사실은 나의 게으름을 합리화한 것에 불과했던 것이다. 젊어서야 젊음 하나만 가지고도 매력이 넘치는 것이지만, 남자가 나이가 들면 추잡하게 보이지 않도록 더욱 깔끔하게 꾸며야 할 것이다. 이제부터라도 꼭 공식적인 활동이나 행사에 나가는 때가 아니더라도 구두를 더욱 아껴주고 깔끔하게 빛이 나도록 잘 관리해주어야겠다.

대접받지 못한 구두는 주인 잘못 만났다고 생각해서 구두신은 그의 주인을 고만고만한 장소로만 데려갈지 모른다. 주인이 예뻐해 주고 정성으로 돌봐준 구두는 아마도 그의 주인을 좀 더 그럴싸한 장소로 안내하려고 할 것이다.

활쏘기

　숨을 두어 번 크게 몰아 쉰 뒤 세 번째 숨을 깊게 들이마셨다. 잠시 호흡을 멈추고 천천히 가능한 있는 힘을 다해서 최대한 몸 뒤를 향해 시위를 잡아 당겼다. 화살을 쏘아야 한다. 뚫어지게 바라보는 과녁을 향해 오른 손의 팽팽한 긴장감을 순간 확 풀어주었다. 화살은 이렇게 내 손을 떠났다. 나의 바람과 나의 걱정을 한껏 받은 화살은 어떻게 되었을까?

　불과 십여 미터 앞에 있는 과녁까지 날아가지도 못했다. 왼편 두어 걸음 못 미치는 과녁 앞 땅바닥으로 팽개쳐지듯 떨어지고 말았다. 다시 네 발을 더 쏘았다. 역시 화살들은 나의 욕심을 배반하고 나의 걱정을 만족시키면서 과녁과는 상관없는 곳으로 허물어졌다. 활을 쏘는 것이 얼마나 어려운지, 아무나 쉽게 활을 다룰 수 있는 것이 아니라는 것을 체험해 보았다. 작년 3월 말에 회사의 직원들을 데리고 창립 5주년 기념으로 서울과 전주로 워크숍을 갔던 일정 중에 전주 한옥마을에서 활쏘기 체험을 했던 때의 기억이다.

활을 제대로 쏘기 위해서는 기본 자세를 잘 배우고 익혀야 한다. 마음을 차분하게 하고 오직 활쏘기에만 집중하는 몰입이 필요했을 것이다. 바른 자세, 바른 기술, 바른 마음, 바른 호흡, 바른 정신이 있어야 화살이 제대로 과녁으로 날아간다.

며칠 전 SNS에서 내 눈을 사로잡는 글이 있었다. 나는 순간 아하, 라는 탄성을 자아내기까지 했다. 골프에서 고수가 친 공은 공이 원하는 곳으로 날아가고, 중수는 치는 대로 날아가고 하수는 걱정하는 대로 날아간다고 한다. 활쏘기 역시 마찬가지일 것이다. 고수는 활이 원하는 곳으로 날아가고, 중수는 쏘는 대로 날아가고, 하수는 걱정하는 대로 날아간다. 참 명언이 아닐 수 없다.

딱 한 번이었던 활쏘기 경험은 처참한 실패감을 안겨주었다. 한 때 골프광이었던 내 전력을 더듬어보면, 고수, 중수, 하수의 차이를 설명하는 이 멋진 말은 그야말로 진실을 정확히 꿰뚫어보는 지혜라 할 수있다.

인생 역시 마찬가지로 구분해볼 수 있을 것 같다. 하수는 늘 걱정한다. 부정적이다. 비관적이다. 그의 인생은 그가 생각하고, 걱정하는 대로 착착 풀려갈 것이다. 물론, 부정적인 생각으로 말이다. 중수는 아무 걱정이 없다. 인생에 대해 걱정이라도 하면서 살아야, 생각이 있는 곳으로 흐를텐데 아무 생각없이 살아간다. 그의 인생은 생각대로 살아가는 것이 아니고 사는 대로 생각하며 사는 인생이 된다.

고수는 어떨까? 그는 아무리 힘든 상황에서도 늘 희망을 가진다. 믿음을 가진다. 그는 원하는 모습의 미래를 선명하게 가진 사람이다. 그 이미지를 위해 노력하는 사람이다. 이미지가 구체적일 수록 그가 쏘는 화살, 즉 그의 인생은 마음이 원하는 곳으로 날아가게 되는 것이다.

전주에서 활쏘기 체험을 할 때, 처음 쏴보는 것이라서 내가 쏘게 될 화살이 과연 과녁을 맞출 수 있을지 걱정이 앞섰다. 믿음도 없었다. 오직 목표 지점을 맞출 수 있으면 좋겠다는 욕심, 욕망만 있었을 뿐이었다. 나는 기본기도 갖추어지지 않은 상태, 즉 아무 준비가 없는 상태였다. 내가 쏠 화살의 움직임에 대한 믿음이 생길리 없었다.

어느 분야에서든 일정한 경지에 오르려면 수 없이 노력을 해야 한다. 타고난 재능이 있다고 하더라도 깊게 몰입하여 노력하는 시간이 축적되어야 한다. 그것이 글쓰기이든 사업이든, 운동이든, 악기를 다루는 것이든. 타고난 감각만 가지고는 일정한 경지에 이를 수 없다. 그래서 1만 시간의 법칙이라는 말이 있게 된 것이다. 하루 세 시간씩 십 년간을 노력하여야 어느 수준에 도달할 수 있다는 이야기이다. 물리적인 시간이 중요한 것이 아니라 참된 집중, 몰입을 통하여 노력할 때 어느 일정한 고수의 수준에 다다를 수 있다는 이야기다.

홍콩 무술 영화 주인공이었던 이소룡은 만 가지의 발차기를 연습한 사람보다 한 가지의 발차기를 만 번 연습한 사람을 무서워한다고 이야기했다. 그렇게 연습하고 노력하여 일정하게 축적이 되었을 때 비로서 우리는 활쏘기든 골프든 자기 비전이 되었든 원하는 것을 믿게 된다. 그리고 믿는 것을 이룰수 있다는 자신감을 갖게 된다. 긍정의 마음을 통하여 우리는 고수가 된다.

하수는 원하지 않는 그러나 걱정하는 인생 길로 접어들고, 중수는 아무 의미도 없이 사는 대로 그냥 살아가는 것이지만, 고수는 그가 원하는 인생을 쏘게 될 것이다.

　사람들은 누구나 불치의 병처럼 치유할 수 없
는 상처 하나쯤은 패잔병의 식별표처럼 늘 가슴안
에 간직하고 살아간다. 지구에서 태어나 살아간다
는 것은 어쩌면, 때로는 미친 듯 광폭해지는 기후
의 조화를 감내해야 하는 일을 필요로 한다.

4부 ——
책이

꽃보다

아름다워

사무실 공간

'사람이 꽃보다 아름다워' 안치환의 아름다운 노랫말이다. 나는 이 감흥을 사무실 인테리어에 적용했다. 사랑의 멜로디가 너울지고, 인간의 정감이 물씬 풍기는 책과 대화하는 사무실을 생각했다. 아무리 아름다운 꽃도 며칠 지나면 시든다. 하지만 책은 시들지 않고 꽃이 핀다. 사무실의 책은 누군가 볼 것이다. 책을 펼치는 순간, 아름다운 정신의 향기가 진동한다. 책 향기 가득한 서재에서 일하는 직원은 피어오르는 인문의 향기에 매료될 것이다. 그들의 뇌는 감성과 창의성 바다에 풍덩 빠지게 된다. 무엇보다 꽃보다 더 아름다운 책으로 가득한 회사에 대한 자부심이 커질 수밖에 없다.

나는 고객사를 방문하면 습관적으로 사무실의 책장을 본

다. 서적이 많은 회사는 신뢰감이 깊어진다. 사람 냄새가 나는 책들은 깊은 고민의 흔적이다. 바로 사장의 인격이다. 독서를 하는 사장에 대해서는 존경심이 절로 우러난다. 당연히 그 회사의 성장을 예감하게 된다.

2010년에 건축 자재를 수입 판매하는 무역회사를 찾았다. 나는 습관처럼 사장실을 둘러보았다. 한 쪽 벽 붙박이 책장에 샘플 안내서와 건축 관련 월간지들만 꽂혀있다. 전문 분야가 아닌 책은 단 한 권도 없었다. 사장이 독서를 전혀 하지 않는 사람으로 여겨졌다. 책을 안 보면서 어떻게 사업을 잘할 수 있는지 의문이 들었다. 2년 뒤 그 회사는 부도가 났다.

우리 사무실 공간이 흡사 도서관과 같다면 얼마나 아름다울까? 작년까지 사무실에는 책장이 4개가 있었다. 올해 1월에 책장 7개를 더 들여놓았다. 직원의 사무 공간과 통로를 구분하는 파티션마다 책장 1개를 붙여 놓았다. 직원이 각자 사서 본 책을 꽂아두기 시작했다. 앞으로 1년, 2년이 지나면 11개의 책장이 책으로 가득 채워질 것이다.

작은 도서관으로 변할 사무실을 상상하는 건 참 즐거운 일이다. 물론 11개의 책장이 꽉 채워지면, 몇 개를 새로 들여놓을 것이다. 계속해서 책을 채워나갈 참이다.

몇 해 전부터 직원에게 늘 다독을 권유해왔다. 보고 싶은 책은 얼마든지 사주겠다고 했다. 관심 있는 책을 사서 본 후에 책값을 회사에 청구하도록 했다. 또 읽은 책은 동료도 볼 수 있게 서재에 비치하도록 부탁했다. 그런데 한국어로 된 책은 많이 늘어났는데, 중국어로 출판된 책은 그다지 눈에 띄지 않았다. '책 보기' 권유만으로는 직원들에게 '독서 습관 들이기'가 부족했다. 그래서 작년 9월부터 강제 독서를 실시했다. 모든 직원에게 매달, 한 달 동안 읽을 책을 정하고 기간 안에 독후감을 반드시 쓰도록 했다. 즉, 월말 안으로 당월 읽은 책의 독후감과 다음 달 독서 계획(책 이름, 저자, 역자, 출판사, 언어 등)을 제출하도록 했다. 사내 독서 문화를 실행하고 관리할 전담 직원도 지정했다. 처음에는 힘들어하더니 몇 달 지나자 직원마다 나에게 '고맙다'고 이야기한다. 책 읽는 습관을 갖게 해주니 '우리 회사가 좋다.'고 이구동성이다.

세상에는 네 종류의 인재가 있다고 생각한다. 인재(人災), 인재(人在), 인재(人才), 인재(人材)다. 한국어로 모두 '인재'로 발음되는데 네 가지 의미로 나누어 볼 수 있다. 전 인류를 아우르는 세계의 범주든, 한 국가 사회든, 혹은 기업이나 정부든, 어떤 조직 안에서나 자신의 모습을 생각해야 한다. 어떤 종류의 인재에 해당하는지, 어떤 인재가 되어야 하는 것인지 고민해야 할 필요가 있다.

기업 경영의 차원에서 네 종류의 인재를 이야기한다. 회사 내 조직문화를 파괴하는 직원이 있다. '미꾸라지 한 마리가 물을 흐린다.'는 말처럼, 그런 직원은 긍정적이며 적극적인 동료에게 부정적이며 비관적인 바이러스를 퍼트린다. 조직에 스트레스를 가져온다. 동료 사이의 화합을 해친다. 인격적 문제, 도덕 불감증 등이 심각한 경우는 재무적으로 혹은 법적으로 회사에 큰 피해를 줄 수 있다. 그런 직원은 조직 문화를 파괴하여 회사 전체를 병들게 한다. 심지어 회사를 망하게 할 수도 있다. 그런 사람이 인재(人災)다. 조직에 재난이 되는 사람이다.

인재(人在)는 회사에 기여를 하지 않는 사람이다. 그냥 출근을 하고 있을 뿐이다. 단지 월급을 타기 위해서일 뿐, 아무 생각 없이 시계추처럼 '땡 하면 출근하고 땡 하면 퇴근'하는 식의 사람이다. 회사에 있어도 조직에 크게 도움이 안 되고, 없어도 회사에는 아쉬움이 없는 그런 존재다. 회사에서는 그저 경영 원가일 뿐인 사람이다. 조직에 재난이 되지는 않지만 원가만 축내는 사람이다. 자신의 귀중한 인생의 시간을 낭비하는 유형이다.

인재(人才)는 재주가 있는 사람이다. 영어나 중국어 등 외국어를 아주 잘해 해외 업무에 능통한 사람, 회사의 IT관련 업무의 귀재 등을 생각할 수 있다. 맡은 분야에서 일을 잘 하는 직원이다. 파레토 법칙이 있다. 20%의 인재가 회사 업무의 80%를 하고, 80%의 성과를 낸다는 뜻이다. 그런데 20%는 전체 직원에서 소수에 해당한다. 한자 재(才)에는 '조금' 혹은 '겨우'라는 뜻도 포함되어 있다. 회사에 이 같은 역량을 가진 사람이 늘 소수라는 것이 아쉽다. 주목할 것은 능력 있는 인재(人才)가 반드시 좋은 직원은 아니라는 점이다. 재주를 잘못 사용하면 쉽게 재난(災難)을 불러오는 인재(人災)로 변할 수 있기 때문이다. 능력평가, 대우에 불만을 품고 그저 시간만 때우는 직원(人在)이 될 가능성도 있다.

회사에서 필요한 인물은 인재(人材)다. 사회에서 필요한 인물도 마찬가지다. 즉, 재목(材木)이 되는 사람이다. 조직과 사회가 발전하려면 빛과 소금이 되는 사람이 필요하다. 자신만을 위한 삶을 사는 게 아니라, 타인에게도 도움이 되는 삶을 살아야 한다.

인재(人材)가 되기 위해서는 다양한 분야의 독서를 해야한다. 자본주의 시장 경쟁 체제에서 취직을 위해, 승진을 위해, 성공을 위해 외국어나 전공 분야의 공부 위주로 책을 보는 것에만 그쳐서는 안 된다. 열심히 공부한 인재(人才)가 회사에서, 사회에서 경쟁 사다리의 높은 곳에 올라가는 게 어느 정도는 사실이다. 그러나 재주 있는 사람이 반드시 행복한 것은 아니다. 그로 인해 주변 사람이 꼭 행복해지는 것은 더더욱 아니다.

나는 왜 태어났을까? 무엇을 위해 어떻게 살아야 할까? 이같은 질문을 끊임없이 던지고 해답을 찾아가는 과정에서 인재(人材)로 태어난다. 무엇을 위해서 살아야 하는지는 전공 서적이나 기술 혹은 기능을 익히는 책에는 나와있지 않다. 해답은 인문학 서적에 있다. 문학, 철학, 종교, 역사, 예술 등에 담겨 있는 유사이래 사람이 살아온 정신을 배워야 한다. 독서는 사람을 인간으로 안내한다.

책읽기를 통해 삶을 진지하게 대면하고, 깨닫고 실천하게 된다면 인재(人材)가 되는 것이다. 자신뿐 아니라 타인에게, 조직에게, 사회에게 행복의 재목이 되어 가는 삶을 사는 사람이 되는 것이다.

성공한 사람은 '누군가 단 한 사람이라도, 나아가 세상의 한 부분이라도 더 나아지게 한다.'는 말이 있다. 이를 가능하게 하는 게 독서다. 그래서 나는 독서를 직원들에게 권유하는 것이다. 책을 사랑하는 조직에는 긍정적인 사람으로 가득하게 될 것이고, 전체의 발전에 이바지 할 것이다.

인재(人才)경영을 강조하는 회사가 많다. 치열한 경쟁을 유발하는 이런 경영은 상대적으로 더 많은 보통 사람을 낙오자로 만들어 가고 있다. 한국 사회의 피로감이 늘어가는 이유다. 기업을 하는 목적이나 개인으로서 한 사람이 살아가는 목적은 같아야 한다. 기업 차원이든, 개인 차원이든 세상이 더 좋은 곳이 될 수 있도록 스스로 재목이 되어 가야 한다. 인재(人材)가 되어야 한다. 이 길이 성공하는 삶이며, 행복 그 자체이다.

너도 나도 세상을 살만한 곳으로 만드는데 쓰일 아름다운 재목이 되려고 노력할 때, 선한 영향력을 미치게 된다. 동료에게, 주변에게 선한 영향력을 미치는 직원이 가득한 회사를 만드는 지름길은 독서 문화 장려라고 생각한다. 책읽기 문화가 자리 잡은 회사가 인재(人材)도 키우고, 사회에도 기여할 가능성이 높다. 도서관과 같이 책이 가득하고, 직원들이 독서토론을 하는 회사는 행복하게 성장할 수밖에 없다.

철학자의
사물들

산다는 것, 그것은 수많은 유형과 무형의 세계를 살아가는 것이라고 할 수 있다. 눈에 잡히는 구체적인 사물들도 있으며, 눈으로는 인지할 수 없는 기억, 상황, 사건, 관념 등등도 있다. 하루를 시작하는 아침에 일어나면 우리는 눈에 보이는 것과 보이지 않는 것, 이 두 가지 모두와 함께 하루의 호흡을 시작한다. 구체적인 사물이 있는 공간, 화장실에서 구체적인 물건인 비누를 들고 세수를 할 때, 아침으로 나온 우유, 빵, 과일을 입에 넣을 때, 역시 우리는 눈에 잡히는 것들과 하루를 시작한다. 눈으로 길을 찾아 핸들을 꺾으며 내가 앉아야 할 구체적인 공간을 찾아내고 자리에 앉아 하루의 일을 시작한다.

한편 우리는 아침에 눈을 뜨는 순간부터 수없이 눈에 보이지 않는 것들을 감각하고 생각하고 느끼기 시작한다. 눈에 보이지 않는 공기와 온도를 느끼고, 부르지 않았던 어떤 생각이 불쑥 머릿속으로 들어오고 나가는 것을 인지하게 된다.

오늘 아침, 같은 사물 같은 상황을 놓고도 모든 사람이 똑같이 보는 것은 아니라는 생각이 나를 슬프게 한다. 요 며칠 장석주 시인이 쓴 〈철학자의 사물들〉이라는 책을 읽게 되었다. 저자가 일상의 흔한 물건들, 가령 핸드폰, 냉장고, 세탁기, 진공청소기, 신용카드, 망치 등등의 구체적인 사물을 바라보며 사물로부터 저자의 철학, 저자의 관점, 저자의 감성들을 끌어내 이야기하는 책이었다. 사물 하나를 가지고 십여 페이지 정도의 한 꼭지 글을 쓰는 형식으로 엮은 책으로, 마침 글을 어떻게 쓰는 것인지 공부하고 싶은 생각이 있던 나로서는 참 반가운 책이었다.

가령 이런 것이다. 지금 내 책상 위 중앙에는 컴퓨터가 에버노트를 열어놓고 내 글씨를 받아주고 있고, 왼편에는 노트북이 있고, 오른편에는 커피가 담긴 텀블러가 있다. 저자 장석주 시인의 방식으로 글을 쓰는 것을 모방한다면, 가령 나는 "텀블러"를 제목으로 글을 써보는 노력을 할 수도 있다. 플라스틱 용기로 만들어진 모양, 그 디자인을 이야기하면서 환경 문제를 끌어낼 수도 있다. 환경 문제로 시작하다가 상하이에 사는 어느 한국 여고생의 착한 마음을 이야기하고, 다시 젊은 사람들이 배워야 하는 것, 어른들이 젊은 사람들로부터 배워야 하는 것을 이야기할 수도 있다. 혹은 달리 이야기를 해볼 수도 있다.

일회용 컵들은 종이를 재생하여 만든 것이라서 오히려 친환경인 반면, 텀블러는 플라스틱이라서 석유 자원을 고갈시키는 주범이고 썩지 않는 물건이니 지구 환경을 더욱 오염시키는 것이라고 주장하면서 친환경의 역설을 이야기하여 볼 수도 있을 것이다. 혹은 텀블러의 이야기는 상하이 황포강을 넘어 포동으로 건너가서 남자아이들이 주말에 쓰레기를 줍는 아름다운 실천과 그 아이들의 엄마 이야기로 옮겨갈 수도 있다.

텀블러에서 사랑을 꺼내어 이야기를 할 수도 있고, 그 사랑의 역사에 대해서 주절주절 이야기를 할 수도 있을 것이다. 에리히 프롬의 사랑의 기술이 어떻고, 이번 가을의 사랑이 어떻고, 내가 알지도 못하는 사랑 이야기를 끌어다가 글쓰기 연습을 해볼 수도 있다.

텀블러 안에서 바다를 보면 어떨까? 백석의 통영 바다를 글쓰기 동아리 회원들이 공유하는 에버노트에 올려 놓은 이재하 시인의 통영에 대한 댓글을 보면서 몇 자 적어보면 어떨까? 텀블러 안에서 돌아올 수 없는 추억을 다시 건져 올린다던가 잊어버리고 싶은 아픔을 보는 것은 어떨까?

한 편의 그림을 본다. 한 편의 시를 읽는다. 한 편의 영화를 본다. 한 편의 소설을 읽는다. 어떤 음악을 듣는다. 어떤 연극을 본다. 어떤 뉴스를 본다. 어떤 사람을 만난다. 그 안에는 숱한 사람과 사물들이 있고, 상황들이 있고 이야기가 있다.

나는 얼마나 보고 있는가? 얼마나 볼 수 있는가?

아는 만큼 보인다고 한다. 아! 나는 결국 이 말, "아는 만큼 보인다."는 말이 날카로운 비수가 되어 내 심장에 꽂히는 것을 느낀다. 숨이 막혀온다. 이 통증을 뭐라고 표현할 수가 없다. 그냥 미치게 아프다. 하지만 반대로 기분이 좋기도 한다.

죽을 때는 고통도 환희가 될 수 있는 것인가?

사는 것도 마찬가지, 왔다가 지나간 시간 속에서 나는 무엇을 보았을까? 나에게 있어 시간이 남기고 간 것들은 무엇인가? 무엇을 얻었고, 무엇을 잃었을까? 세월의 기억을 나는 어떻게 매듭지었는가?

아마 시인이라면, 철학자라면, 음악가라면, 화가라면, 더 많이 보았을 것이다. 반대로 더 많이 얻고 더 많이 잃었을 수

도 있겠다. 얻지도 못하고 잃지도 못한 것 같이 맹맹하기만
한 삶을 살아온 듯하여 오늘도 몹시 깊은 부끄러움을 느껴
본다.

"아는 만큼 보인다."

이 말이 심장에 박혔다.

가을에는, 다가올 겨울에는 우선 더 알기 위해서 독서와
사유에 시간을 써야 할 것만 같다.

사람의 목소리는
빛보다 멀리간다

　우선 책의 이름이 눈에 들어왔다. 〈사람의 목소리는 빛보다 멀리 간다〉 왜 이 책은 이런 이름을 달고 세상에 나왔을까 궁금했다. 인터넷을 검색하여 보니 원 제목은 "10개 단어 속의 중국"이다. 10개의 단어를 앵글로 잡고 중국 근현대사의 이야기를 풀어내면서 작가의 관점을 서술한 제목이다. 한국의 출판사에서 잠재 독자들의 눈길을 끌기 위해서 색다른 이름을 고심하여 만들었겠지, 라고 생각하다가 책의 내용과 제목이 얼추 맞아 떨어지는지 궁금해졌다.

　1960년 중국 져쟝성 항저우에서 태어난 위화, 그는 중국의 현존하는 소설가이다. 중국뿐 아니라 유럽, 미주, 아시아 전세계 많은 나라에 독자를 확보하고 있는 중국을 대표하는 작가다. 그는 중국 정부 입장에서는 불편한 사람이다. 그렇지만, 그의 작품은 은유적으로 중국의 현실에 개입하고 있기 때문에 중국도 그를 반정부주의자로 규정하지는 못하고 있는 것같다.

그의 산문집, 〈사람의 목소리는 빛보다 멀리 간다〉는 중국에서는 출판되지 못했다. 그의 소설은 중국에서 출판되고 있는데, 이 책만은 출판될 수 없는 이유는 이 책이 소위 "돌직구"이기 때문이다. 중국 정부에서는 절대로 허락할 수 없는 내용들을 거침없이 이야기하고 있다. 비록 중국 내에서는 출판되지 않았더라도 이런 내용을 국외에서 출판했다는 것은 중국 정부의 시각에서 보면, 외국에 중국의 실상을 까발리고 중국의 체면을 크게 손상시킨 것인데 그는 여전히 중국에서 대범하게 살고 있다.

오히려 국외의 많은 나라에서 번역 출판된 이 책에서 작가는 자신이 살아 왔던 근현대의 중국을 묘사하기 위해서 10개의 단어를 선택하였다. 이들 단어들은 "인민, 영수, 독서, 글쓰기, 루쉰, 차이, 혁명, 풀뿌리, 산채, 홀유"이다.

저자는 중국의 근대사의 최대 혼란기이자 암흑기였던 문화혁명기에 초등학교부터 고등학교를 다녔다. 1958년 대약진운동, 1966년부터 시작된 문화 혁명 시절, 개혁 개방 후 경제

발전을 이룬 오늘에 이르기까지 그 자신의 구체적인 삶의 경험과 관찰을 통하여 중국의 현상과 문제들을 고발하고 있다. 자신이 문화혁명 때 경험했거나 관찰했던, 그리고 직접 행동했던, 지금 오늘날의 시각에서 보면 말도 안 되는 부조리한 행동들에 대해 부끄러워하거나 약간은 감춰두려는 의도를 보이지 않고 모두 솔직하게 기술하고 있다.

개혁 개방 30여 년의 짧은 기간 동안 중국은 G2로 성장을 하였다. 후진타오가 화해사회를 주창했다면 오늘날 중국의 영도자인 시진핑은 중국몽을 외치며 위대한 중화 민족의 부흥을 주장하고 있다. 중국 경제력이 전 세계 2위가 된 오늘날, 시진핑은 정치, 군사, 문화, 과학 등 모든 분야에서 중국이 세계 최고가 되어야 한다고 말한다. 지난 5000년 역사의 대부분의 기간 동안 그래 왔듯이 중국이 세계의 중심이 되어야 하고, 중국이 최고의 지도자가 되어야 한다고 주장하는 것이다. 사회의 불안 요소인 연안과 내륙의 경제발전 차이, 도시민과 농민의 소득 수준격차, 부익부 빈익빈이 되어 가는 경제의 불평등에 대한 항거를 잠재우기 위해서 중국은 중국몽을 내세워 중국인의 단결을 촉구하고 있다.

오늘날 전세계적으로 막강한 파워를 자랑할 수 있게 성장한 중국의 개혁 개방과 경제 발전의 모델은 1958년의 대약진 운동, 문화 혁명 시기의 '혁명과 반혁명' 등과 문맥을 같이 하고 있다. 경제의 발전이 정치와 문화 등 국민 의식의 발전 속도를 앞지르면서 중국에서는 산짜이, 홀유와 같은 용어들이 유행처럼 번지는 현상을 일으키고 있다. 반조반파 운동으로 권력을 쟁취하려던 사람들은 이제 돈을 벌어서 권력을 쟁취하려고 혈안이다. 문화 혁명이 진행 중이던 때, 문화, 철학, 인륜 등 모든 것이 무시되고 오직 공문서에 도장을 찍을 수 있는 인감을 손에 쥔 반혁명 세력들이 세상을 통제하였듯이 오늘날 중국에서는 오직 돈만을 쫓는 반문화파들이 득실거리고 있다.

그는 책의 후기에서 이렇게 적었다.

"타인의 고통이 나의 고통이 되었을 때, 나는 진정으로 인생이 무엇인지, 글쓰기가 무엇인지 깨달을 수 있었다. 나는 이 세상에 고통만큼 사람들로 하여금 서로 쉽게 소통하도록 해주는 것은 없을 것이라고 생각했다. 고통이 소통을 향해 나아가는 길은 사람들의 마음속 아주 깊은 곳에서 뻗어 나오기 때문이다."

위화는 노벨문학상을 탈 수 없는 작가이다. 중국 정부가 동의하지 않을 것이다. 그는 이 책의 첫머리 한국 독자들에게 쓴 문장을 '5월 35일'이라는 제목으로 시작했다. 그는 말한다. 지금 우리에겐(중국인에겐) '6월 4일'의 자유는 없고, '5월 35일'의 자유만 있다고. 어떤 자유이든 우리는 목소리를 찾아야 한다. 말로 입 밖에 내는 소리든, 글로 뱉는 소리든, 머릿속에서 떠도는 소리든, 우리는 고통 받는 약자들의 현실을 보아야 하고, 그러한 고통이 어떻게 나의 고통이기도 한지 직시해야 한다. 고통을 치료하기 위해서 소통을 위한 목소리를 내어야 한다. 빛보다 멀리 갈 수 있는 것은 우리의 생각이다. 우리의 목소리에 담긴 파동이고 에너지이다.

서점

　상하이에서 사업을 하며 살고 있는 나로서는 한국에 갈 때 반드시 들러야 할 곳이 있다. 바쁜 일정 중에도 꼭 따로 시간을 내서 서점에 간다. 외국에 살기 때문에 읽고 싶은 책이 있어도 곧바로 구하기가 쉽지 않다. 그동안 읽고 싶어서 제목을 기억해 두었던 책들과 서점의 많은 책들 속에서 내 눈에 들어온 제목들의 책들을 산다. 한번 가면 십여 권의 책을 사는 것이다. 한국에서 출장이나 여행으로 상하이로 온 손님이 선물로 책을 가져오면 그 어떤 선물보다도 더 기뻐한다. 비싼 양주나 홍삼 혹은 다른 무엇보다도 책을 선물하는 사람이 멋있게 보이고 고맙다. 한국에 가면 가장 가고 싶은 곳은 내게는 꿈의 장소인 서점인 것이다.

올해 연세가 육십 중반을 넘은 한국분이 오 년 동안의 중국 생활을 마치고 한국으로 귀국한다고 연락을 해왔다. 항저우에서 곧바로 한국으로 귀국하려는 그를 상하이로 초청했다. 저녁 식사를 함께하고 다음날 상하이 홍차오 공항에서 송별했다. 식사를 하던 자리에서 그는 등산 이야기를 꺼냈다. 항저우에 있는 중국의 모그룹에서 기술 고문으로 일을 하던 지난 오 년 동안 일 년에 서너 번씩 휴가를 내고 한국에 다녀왔단다. 한국에 갔을 때 비슷한 연세의 친구분들과 등산하러 다녔던 이야기를 했다. 친구들은 등산 동아리를 만들어 매주 주말에 등산을 간다고 한다.

같은 또래의 여자들도 등산모임에 참가하는데 어떤 아주머니는 김밥이며 이런 저런 맛있는 반찬으로 도시락을 싸 온다고 말하시며, 그런 여자가 제일 꼴불견이라고 한마디 덧붙인다. 자기 남편은 집에 팽개쳐 두고 남의 서방들 등산하는데 김밥 싸가지고 따라 나오는 여자들이 푼수라는 것이다. 어쨌거나 건강하게 오래 사는 것이 가장 좋은 일이라고 말하면서 귀국하면 앞으로 친구들과 주말마다 등산을 가겠다고 다짐을 하는 것이었다.

나는 이렇게 말씀드렸다.

"사장님, 일요일마다 산에 가는 것보다는 서점을 다니면 어떠세요? 가령 교보문고, 영풍문고, 반디앤루니스 또는 가까운 서점에 가면 젊은 사람들이 많잖아요. 읽을 책들도 많고, 젊은이들의 기를 좀 많이 흡수하시구요. 그러면 더욱 건강해지실텐데요."

"건강하시겠다고 매주 산에 가는 것은 좋아요. 헌데 노인 타령을 하는 사장님 연세와 비슷한 분들을 만나서 누가 갑자기 먼저 세상을 떴다던가, 세상 뭐 있어? 그냥 이렇게 건강 지키며 사는 거지, 이런 식으로 말씀하는 것을 들으면 건강하기 쉽지 않아요."

"집에 마누라가 할망구가 다 되어 가지고 아무 생각이 없으니 어쩌구저쩌구 이런 이야기나 하시면서 등산 백날 해봤자 다리와 폐활량은 좋아질지 모르지만 생각이 늙어져서 오래 건강하게 사시기 힘들어요."

"등산보다는 차라리 주말에 서점을 다녀보세요. 서점에서 쭈그려 앉아 책을 보지 마시고 서서 이 책 저 책 훑어보기도 하고 사람들 구경도 하고, 그러면 더욱 젊어지실 거예요."

"이렇게 서점을 다녀 보시는 것, 때로는 서점에서 또 다른 문화 예술 공간으로 해메 보시는 것, 가령 예술의 전당이나 이곳 저곳의 갤러리들과 대학로의 소극장등으로 다니시면 마음과 몸이 더욱 젊어지실 거예요."

"제가 다니던 회사 입사 동기 중에 서울에 사는 친구가 있는데요. 중소기업 사장을 하고 있는 친구예요. 얼마 전에 만났는데, 친구가 하는 말이 자기는 노안이 와서 책을 안 본다고 하더라구요."

"오십을 넘은지 얼마 되지 않은 나이인데 석사 출신인 친구가 벌써부터 책을 안보고 산다니 안타깝다는 생각이 들더라구요."

"시크릿이란 책을 보셨어요? 저는 책도 보고 DVD도 보았는데요. 거기에 보면, 할머니 한 분이 시력이 좋아진다는 믿음을 통하여 눈이 갈수록 좋아져서 돋보기를 버리고 매일 책을 보는 장면이 나옵니다."

"이 할머니는 생각만으로 눈이 좋아진 거지요."

"만약 나는 이미 노인이다, 건강이 중요하니 자주 등산을 해야 한다라고 생각하면, 아무리 등산을 가더라도, 생각한 것처럼 갈수록 노인이 되어가는 거예요."

"그러니 등산 가시지 마세요. 이제는 양로원이 되어버린 산에 왜 가요?"

"나는 젊다고 생각하시고 서점을 두루 다니세요. 올해 예순 여섯이니 백 살까지는 아직도 삼십 년은 충분히 책을 보실 수 있으니까요. 책을 보시면 치매 예방도 되고 마음도 차분해져서 고혈압 예방도 될 거구요. 책 향기와 서점의 지적 열기가 몸의 신진대사도 잘 되게 만들어줄 거예요.”

나는 거침없이 이렇게 말씀을 드렸다. 그분은 자신이 이미 노인이 된 것으로 생각을 하고 있는 것 같았다. 그래서인지 열심히 건강을 관리해야 한다고 생각하고 있었다. 나이가 들수록 건강 관리를 해야 한다는 생각. 나는 그 생각 때문에 사람들은 나이 먹어가고 더욱 늙어가는 거라고 생각한다. 일 년 또 일 년씩 단위로 잘라서 몇 살 먹었는지 셈을 하는 ‘나이’라는 것은 사람들이 만들어 낸 개념에 불과하다. 나이를 잊고 사는 것, 나이가 먹었으니 노안이 오는 것이 당연하다고 생각하는 것, 이것이 문제라고 생각한다.

앞으로 적어도 백 살이 되는 날까지 나는 안경을 쓸 일이 없을 것이다. 지금 나이 오십을 갓 넘은 나는 여전히 시력이 좋다. 비결은 무엇이냐고? 마음으로 눈의 건강을 관리하니까. 나는 마음으로 시력을 유지하니까. 그렇다. 앞으로 하고 싶은 생활은 수시로 서점들을 두루 다니면서 이 책 저 책 마음껏 읽어보고 생각 하고 글을 쓰고, 책과 잘 어울리는 커피도 마시면서 살아가는 것이다.

시크릿에서 만났던 그 할머니처럼 나 역시 안경 쓸 일 없이 평생 동안 건강한 눈으로 책을 보면서 살 수 있을 것이라고 믿는다.

희망

　사람들은 누구나 불치의 병처럼 치유할 수 없는 상처 하나쯤은 패잔병의 식별표처럼 늘 가슴안에 간직하고 살아간다. 지구에서 태어나 살아간다는 것은 어쩌면, 때로는 미친 듯 광폭해지는 기후의 조화를 감내해야 하는 일을 필요로 한다. 우리 사람 사는 것은 짧은 생이지만, 마찬가지일 것이다. 살다 보면 이런저런 예측하지 못했던 쓰나미나 강도 높은 지진이나 산사태와 같은 원치 않았지만 운명처럼 갑자기 찾아오는 사건을 마주하기도 한다. 누구는 한평생 달콤하기만 한 행복 속에서 살고, 누구는 어린 시절부터 몸에 흉터 한 번 나지 않고, 상처 한 번 나지 않은 채 살아 매끈하기만 한 피부를 간직한 사람이 있을 것인가.

상처란 어디에서 오는 것인가? 육신에 난 상처는 내가 상처가 아니라고 주장하더라도 보는 사람들이 상처라고 할 것이다. 심하면 의사가 처방을 하고 치료를 할 것이다. 타인의 눈에 인지되지 않는 가슴 속 상처는 누가 치료를 해줄 것인가? 자신이 그것을 상처라고 규정했을 때만 상처가 되는 것이 보이지 않는 상처가 아닐는지 싶다.

우리가 조그만 아이였을 때 우리들의 웃음은 천진난만했다. 그랬던 우리가 어른이 되면서 조금씩 더 성숙해지는 웃음을 짓게 되는 것은 그동안 받았던 상처들이 자신을 내면적으로 더욱 성장시켰기 때문이 아닐까? 다음과 같은 시가 있다.

희 망

유 안 진

된장국이 시원하다고들 감탄한다
발효가 잘 되어서라고 한다
잘 썩어서라고 한다
잘 썩는 게 잘 발효되는 거라고 하여
썩는다는 말에 한참 동안 전율했다

산다는 건 썩는다는 것
어떻게 썩어야 발효가 되는지
고추장, 된장, 청국장이 되는지
술이, 식초가, 효소가 되는지

박살난 유리조각, 찌그러진 깡통
시궁창, 진흙탕, 개펄에서라도
잘만 썩으면,
어떻게 썩는 게 잘 썩는 건지
몰라도, 그저 희망 같다

인생에는 주기적으로 계절이 뒤바뀌어 찾아온다. 봄이 있고
여름이 있다가, 그렇게 희망이 있다가, 어느 날 문득 가을이
찾아오면 상처받은 낙엽들은 땅으로 추락한다. 마음의 문
안으로 찬바람 들어서는 겨울이 되면 낙엽들은 가슴 속에서
썩어간다. 더러는 잊히지만 더러는 발효가 되어 진한 된장국
처럼 우리의 삶을 더욱 구수하게 만들어 준다. 낙엽이 거름이
되듯, 상처 또한 된장국처럼 우리의 영혼을 발효시키는 효소
가 될 것이다. 그러하니 상처를 받아본 일이 없는 사람이 더
성숙해지기는 어려울 것이다. 오히려 상처는 더 반겨서 맞이해
야 할 것인지도 모른다.

상처 하나 없는 사람이 어찌 다른 사람의 마음을 헤아릴 수 있으며, 세상에 대해서, 사람들에 대해서 연민을 가질 수 있겠는가? 상처가 무엇인지 모르는 사람의 내면에 깊은 곳간이란 곳이 있기나 하겠는가? 깊은 그곳에서 발효되어 은은하게 올라오는 깊은 향기가 있을 수 있겠는가?

살아온 날들은 마치 도서관에 진열된 책처럼 기록되어 있을 것이다. 각종 장르의 책들, 아픈 감동의 이야기도 있고, 기뻐서 웃게 만드는 이야기도 있고, 건조하거나 혹은 물기가 가득한 이야기들이 담긴 책들도 있을 것이다. 더러는 삼류 주간지도 있을 것이며, 철학과 종교 분야의 책들도 있을 것이다. 기억의 도서관에는 책장에서 꺼내어 남들에게 보여줄 수 있는 책들이 대부분이겠지만 자신을 아프게 했던 상처투성이인 책은 대출 금지라는 메모가 적힌 채 남들의 눈에 띄지 않을 구석에 어둡게 보관되어 있을 것이다. 오직 도서관의 주인인 자신에게만 오래된 책의 퀴퀴한 냄새로 발효되어 오늘을 살아가는 힘이 되어줄 것이다.

오늘 문득 감처둔 책을 꺼내듯 내 상처들의 페이지를 넘겨본다. 더러는 발효가 되었고, 더러는 화석처럼 변질이 되지 않은 원형의 상처로 책장을 넘기는 내 눈에 가시가 박히듯 들어온다. 심장으로 박히는 날카로운 칼이 되어 들어온다. 심장도 가끔은 이렇게 리부팅이 되어야 하는 것이다. 그런만큼 우리는 더 새로워지고 더욱 더 맑아지는 것이 아니겠는가.

상처가 없는 사람이 어디 있으랴? 주변의 사람들을 생각해 본다. 심지어 나의 어린 아이들, 청춘인 그들도 아빠 모르는 마음의 상처들을 가지고 있지 않겠는가? 가장 가까이에 있는 사람들의 가슴에도, 회사의 젊은 직원들의 마음에도, 길거리에서 마주치는 모르는 사람들의 내면에도 상처는 썩어가고 된장이 되어 가고 있을 것이다. 아픈만큼 성숙하는 것이랬다. 아파본 사람만이 남이 아픈 것을 안다고 했다. 그것이 사랑이었든 우정이었든 사업상의 도전이었든, 부모 형제간의 관계였든 모두가 크고, 작게 상처를 받는다. 그리고 상처는 희망이 된다. 나는 오늘도 내 상처를 매만지며, 상처를 가슴에 숨긴 타자들을 돌아본다. 그들을 더욱 사랑할 것이라 생각하면서.

가벼운 나날

　제임스 설터의 소설, 박상미가 번역한 〈가벼운 나날〉이라는 소설을 읽었다. 미국의 소설가인 저자가 1975년에 쓴 작품인데 작년에 한국에 번역 출판되어 요즘 한국의 서점들에서 잘 팔리고 있는 작품이다. 나에게 이 작품을 읽어보라고 권한 친구는 작가의 소설 안에 배울만 한 은유와 직유의 문장들이 많으니 글쓰기 교재라고 생각하고 읽어보라고 했던 것이 아닐까 추측해본다.

　외국 소설을 읽는다는 건 쉽지 않다. 작품 중에 등장하는 인물들의 발음하기 쉽지 않은 외국 이름들과 그들간의 관계를 잘 기억하면서 읽으려면 머리가 좋아야 하는 것은 아닌지 싶다. 외국 소설 읽는데 습관이 되어 있지 않은 내게는 조금은 어려운 일이다. 이 작품에는 밑줄을 치고 싶은 부분들이 참 많았다. 엉뚱한 시공간에서 끌어당겨와 전혀 관계없어 보이는 사물이나 현상으로 눈앞의 상황이나 감정을 세심하게 묘사하는 작가의 글 솜씨에 감탄했다. 소설의 뒷부분을 읽을 때는 아예 빨간 색 볼펜을 집어들고 내 눈을 오래 붙잡는 묘사나 표현을 배우려고 밑줄을 그어가면서 읽었다.

마지막 페이지를 넘기고 책을 덮었을 때, 왜 이 소설의 제목이 〈가벼운 나날〉이었는지, 그 헛헛한 느낌이 작가의 의도를 알게 하는 것 같았다.

주인공 남자 비리와 네드라, 두 사람은 미국의 중산층으로 아름다운 도시의 교외에 있는 그림 같은 집에서 살고 있었다. 비리는 건축가로 사무실에 출근하는 사장이었고, 그의 아내 네드라는 순진한 낭만주의자처럼 자유를 만끽하면서 살아가는 아름다운 여자였다. 비리는 약간 보수적이고 가정적인 남편, 오늘날 한국 대부분의 남편들 모습을 닮았다. 밖에 나가서 열심히 일을 하고 집에 오면 늘 아내와 아이들에게 잘하려고 노력하는 평균적인 남자였다. 네드라 역시 평범한 여자로 출발했다. 자신의 사회적인 꿈을 위해서 직장에 나가거나 자기만의 전문 캐리어를 쌓지 않고 가정주부로서 순탄한 나날들을 보내는 것을 천성적으로 잘 받아들이는 여자였다.

서로 사랑했고, 단란한 가정을 꾸렸으며 모두가 부러워하는 삶이었다. 주말이면 정원이 있는 집으로 친구 부부들을 초청하여 식사를 했고 귀엽고 착한 두 딸과 행복하게 살아왔다. 문제는 '사랑'이라는 것에 대한 집착에서 시작된 것이 아닌가 싶다. 누구나 사랑해서 결혼을 하지만, 같이 살고 싶어서 안달이던 뜨거운 사랑은 점점 식어버리고 결혼 생활이란 그저 습관 같은 삶의 일부분이 되어 갔다. 사랑하던 연인은 가족이 되어버렸다. 결혼하기 전 부모나 형제들과 나누던 가족끼리의 사랑이란 이유 없는 사랑이었고 몸을 부대끼는 사랑이지만 서로 살을 섞는 사랑은 아니었다. 결혼이 오래 지속되면서 그들은 과거에 가족이 아니었기에 이성의 사랑이 가능했던 배우자를 점점 가족으로만 바라보게 되었다. 가족이 되니 그들의 사랑도 이성의 사랑에서 가족의 사랑으로 변할 수밖에 없었다.

네드라는 여전히 결혼하고 싶었던 때의 사랑을 갈증하게 된다. 남편은 이미 그녀에게 가족이었고, 그녀는 가족이 아닌 이성과의 사랑이 부재함을 느끼면서 삶의 무료함을 참을 수 없게 된다. 표면적으로 아무 문제가 없던 부부 사이의 문제는 이렇게 사랑에 대한 인식, 그 집착으로부터 시작된다. 네드라는 결국 남편을 떠나게 되고, 자유로운 날개를 달고 하늘로 날아 오르려 한다. 비리는 자기를 홀로 내버려두고 떠난 네드라의 빈 공간에서 무력하게 나이를 먹어가다가 그 역시 아내의 기억을 가진 집을 떠난다. 네드라가 다른 남자들을 탐미하듯 살아갈 때, 무력하게 고향에서 도망치듯 길을 나선 비리는 이탈리아 어느 도시에서 젊은 여자와 만나 원하지는 않았으나 그녀가 원하기 때문에 결혼을 하게 된다.

시간은 흘러 삼십에서 사십의 나이로 흐르고, 오십의 나이가 가까워지면서 아름답던 그녀의 피부에도, 그 남편의 얼굴에도 세월의 낙엽이 떨어져 쌓이기 시작한다. 남편인 비리를 긍정하면서도 낭만적인 이성과의 사랑을 꿈꾸던 여자와 떠나버린 아내를 못 잊은 채 새로운 젊은 여자와 같이 살아가던 남자, 그 둘은 오십의 나이도 채 되지 않아서 생을 마감한다. 두 사람 모두 아이들을 그리워하고, 그 아이들과 아내와 남편과 살던 옛집의 풍경들을 기억하면서 세상을 떠나게 된다. 죽음에 이르고 보니 살아온 나날들이 참 가벼웠다라는 탄식을 하게 되는 삶이 된 것이다. 사랑이란 것이 무엇이길래, 뜨거운 마음을 제대로 건사하지 못하고 가정을 깨고 더 쇠락하는 길을 걸어갔던걸까.

이 책을 읽으라고 권했던 친구는 아직 소설의 반절을 채 읽기 전에 내게 읽어보라고 했을 것 같다. 작가가 구사하는 풍부한 메타포를 내가 배우면 좋겠다고 생각했을 것이다. 그는 이 책을 다 읽은 후 바로 책장에 꽂아 놓았을까? 아니면, 한동안 책상 위에 올려놓은 채 멍한 생각에 잠겼을까?

이성간의 사랑이 절정에 달하면 서로는 한시도 떨어져 있고 싶지 않게 된다. 결혼을 하고 싶어진다. 같은 이불을 덮고 살을 맞대며 살면서 서로의 사랑을 소유하기 시작하는 것이 결혼이다. 그런데 부부간의 사랑에는 애정 곡선이라는 법칙이 있다고 한다. 높이 오르다가 정점을 찍은 상태에서 결혼식을 한 후, 사랑은 점점 공기 빠진 풍선처럼 하강하기 시작한다. 아이를 낳게 되면, 사랑은 온데간데 없고 철저한 혈실만 남는다는 것이다. 두 사람은 결혼하기 전에 각자 살았던 가정의 가족처럼 진짜 가족이 되어 살아가게 되는 것이다. 결혼하기 전이나 막 결혼해서 얼마 되지 않았던 시절처럼 뜨거운 사랑이 아닌, 가족으로서의 사랑만이 남게 되는 것이다. 아이들이 성장하면서 대학을 가게 되고 경제적인 부담이 가중되고, 남편이 직장에서 내몰릴 때가 되면 사랑은 더욱 바닥으로 추락하게 된다는 것이다. 아이들이 결혼을 하여 출가하고 두 사람이 노인이 되었을 때 사랑은 다시 모락모락 김이 나기 시작하고 푹 쭈그러진 풍선에 공기가 채워지면서 하늘로 날아오르기 시작한다는 것이다.

이성과 나누는 그 통제하기 어려운 뜨거운 사랑을 늘 동경하던 네드라는 남편을 떠났고, 결국 사랑했던 남편도 자기 자신도 추락의 길로 바닥 없이 미끄러지게 됐다. 결국은 슬픔만을 간직한 채 되돌릴 수 없는 과거로부터 영원히 이별을 하게 되었다. 이미 결혼한 사람들, 그들 중에 네드라와 같은 생각을 가진 아내나 남편이 있을 것이다. 남자든 여자든 이미 가족이 되어버린 배우자가 아닌 이성을 생각하며, 문학 같은 사랑, 영화 속의 사랑, 예술 같은 사랑을 꿈꾸고 있는 사람들이 있을 것이다. 그런 사랑을 해보지 않을 바에야 인생이 무슨 의미가 있느냐는 생각을 그들의 머릿속에 숨기고 있을지 모른다.

네드라와 비리, 그들의 삶이 〈가벼운 나날〉로 제목 지어진 이유를 깊이 생각해본다.

자기 혁명

　몸은 사무실에 있는데 마음은 벌써 저 혼자 자동차에 오르더니 시동을 걸기 시작하는 것 같았다. 가을, 머릿속에 가을이라는 단어를 떠올리니 어디 가까운 숲이라도 가보고 싶다는 생각이 들었다. 가을을 느껴보고 싶었다. 사무실에서 불과 삼십여 킬로미터 이내 가까운 곳에 숲이 있다는 것이 문득 생각났다. 셔산이었다.

　바이두에서 상하이 셔산을 검색하여 보니 셔산 옆에 월호(月湖)라는 호수가 보였다. 참을 수가 없었다. 마음이 주문하는 소리에 따라 움직여야 한다고 생각했다. 회사 업무나 다른 일들에 구속되지 않고 마음이 내게 주문하는 행동을 바로 해보자는 생각이 들었다. 퇴근 시간이 다 되어 슬며시 홀로

드라이브를 했다. 음악 몇 곡 듣는 짧은 사이에 차는 월호에 도착했다.

자동차가 처음 호숫가에 도착한 곳은 서산 월호 조각공원의 정문이었는데 밤 시간이 되니 문이 닫혀 들어갈 수 없었다. 몸은 들어갈 수 없으나 안 쪽으로 눈을 깊숙이 밀어 넣어 살펴보니 호수의 가장 자리에 조각 공원이 보였다. 밤이라서 설령 그곳에 들어간다고 해도 조각 작품들을 제대로 감상하기가 어려울 것이었다. 다음에 낮에 와서 조각 작품들과 호수를 감상해보겠다는 생각을 하고 서서히 느린 속도로 차를 움직였다. 호수는 울타리로 애워싸져 있었다. 입구를 찾기 힘들었다. 호숫가에 갈 수 있는 유일한 방법은 근처의 오성급 호텔을 통하는 길뿐이었다. 호텔의 로비로 들어가니 맞은 편 유리 벽을 통해서 호수와 그 너머의 숲이 보였다. 호수는 그 호텔의 일부라도 된 듯 아마 호텔의 소유인 것처럼 보이기도 했다. 호텔 로비에서 호수로 나아갈 수 있는 출입문을 발견할 수 있었다.

날은 흐리고 하늘에는 먹구름이 가득했다. 달도 잠깐 잠깐 흐릿하게 나왔다가 금세 잿빛 구름들에 숨는지라 호수와 주변의 숲은 어둠에 고요히 누워 있는 모습이었다. 오직 호텔 쪽에서 나오는 불빛에 의지해 호수의 주위를 걸으며, 멈추며,

바라보며 시간 가는 줄 몰랐다. 하늘, 땅, 호수, 숲, 고요한 호텔 불빛, 이 조합은 가을 남자에게 딱하니 맞춤을 한 듯 사색을 불러일으키기 시작했다.

이런 풍경에서는 삶이라는 화두를 꺼낼 수 밖에 없다. 빽빽하게 나무들이 들어찬 호숫가 숲으로부터 나오는 푸른 향기가 대뇌를 자극하기 시작했다. 살아가는 것, 먼저 좌뇌를 움직이며 어떻게 하면 제대로 사는 것인지 막연한 화두를 던지기 시작했다. 하지만 생각을 하려는데 생각하려는 생각 때문인지 오히려 좌뇌가 멍해지는 것 같았다. 심지어 서서히 아무런 생각이 없는 상태가 되어 갔다. 텅 비워져 버리는 것 같은 느낌만 다가오는 것이었다. 우뇌가 좌뇌를 압도해버린 상태가 되어갔다. 그래, 생각이란 인위적이야, 부질없는 것인지도 몰라, 이렇게 그냥 느끼는 것이 맞아. 이 느낌 속에 깊이 잠겨 들고 있는데 숲에서 자꾸 나를 부르는 소리가 들리는 듯했다.

분명 책들이 부르는 소리 같았다. 책들의 영혼들이 살아서 나무 곳곳 가지마다 매달려 있는 것 같았다. 숲속에 책들이 가득가득하게 들어차 있는 것처럼 느껴졌다. 숲들이 온통 책들이구나, 저 숲들이 온통 언어들이고, 문장들이구나. 숲이 나에게 책들의, 언어들의, 문장들의 향기를 품어내어주는

구나, 그들이 나를 오늘 이 자리로 이끌었구나. 생각은, 아니 느낌은 이렇게 흐르고 있었다. 책들이 나를 이 호숫가로 불러 세례를 주려고 한 것이구나, 이런 느낌이 절로 쑥 내 안으로 밀고 들어오기 시작했다.

시골의사 박경철 씨가 떠올랐다. 선량한 의사에서 증권 전문가로, 청소년 멘토로, 이제는 전업작가로 활약하고 있는 그는 <자기 혁명>에서 나이 사십에 책을 보기로 결심을 하고, 골프, 담배, 술 일체를 끊고 책을 보기 시작했다고 썼다. <자기 혁명>이라는 책을 쓰던 그때 자기 집 지하의 서고에 소장한 책이 약 만 권 정도될 것이라고 말했다. 그 책을 읽던 순간 안철수 씨가 떠올랐던 기억이 있다. 사람을 치료하는 의사이었던 그가 컴퓨터를 치료하는 벤처 회사를 만들고, 다시 청소년의 영혼을 치유하는 멘토가 되고, 드디어 수많은 시민들에 의해서 한 때 대통령 후보로 불림을 받기까지, 그의 역량은 어디에서 온 것인가?

맞다. 책이다. 독서다라는 생각이 들었다. 나도 박경철 씨 흉내를 내보고 싶다는 생각이 들었다 지금부터 책 속에 파묻혀 살아볼까? 누군가 나에게 당신이 살고 싶은 삶은 어떤 것이냐고 물으면, 나는 이렇게 대답을 해보고 싶다. 매일매일 온 종일 책을 볼 수 있으면 좋겠다. 오직 책들의 숲 속에 살며, 어디로 여행을 가더라도 책과의 여행을 떠나고, 커피든 술이든 무엇을 마시더라도 책과의 자리가 되고, 그리고 가끔은 나도 책을 쓰면서 살고 싶다고

숲 속에는 셀 수 없이 많은 책들이 가득하다. 책들마다 책을 쓴 위대한 영혼이 있다. 그 아름다운 영혼 하나하나마다 또 수많은 책들이 있다. 그 안에 헤아릴 수 없이 많은 언어가 있다. 말이 있고 문장이 있다. 진실이 있고 진리가 있다.

숲은 오래되었다. 인류가 책을 쓰기 시작한 기원전부터 지금까지의 책들, 영혼들이 시공간을 뛰어 넘어 숲 속에 가득하다. 숲 속에서 나는 기원전부터 시작되어 오늘에 이르기까지 책을 쓴 수많은 위대한 사람들을 만날 수 있다. 마치 그가 내 앞에 있는 것처럼. 내가 그를 찾으면 그는 나에게 책으로, 영혼으로 다가와 준다.

우리 회사 사무실 책장에 꽂혀있는 책들의 모습이 떠오른다. 책장에 있는 책들, 책들마다 위대한 영혼들이며 아름다운 삶들이다. 그들이 내 사무실에 와있는 것이다. 나는 그 책들을 읽었고 읽은 후에 직원들도 보라고 그곳에 꽂아 놓고 있지만, 다시금 생각해본다. 내가 저 책들을 제대로 읽었을까? 그저 스치듯이 읽은 것 같기만 하다. 밑줄을 그어가면서 열심히 읽은 책도 있다. 지금도 몇 부분을 잘 기억하고 있는

책들도 있다. 책들을 읽으면서 내 손에 올려진 종이라는 사물로, 페이지를 넘기는 나의 손가락 감촉으로, 문장을 따라가며 읽어가는 내 눈으로 위대한 저자와 내가 서로 만날 수 있다는 것이 너무 신기해서 말로 표현하기 힘든 벅찬 기쁨을 느꼈던 적도 적지 않다. 하지만 나는 그 책들을 제대로 읽었는가? 그 책들을 쓴 저자들의 삶과 영혼을, 그들의 인생을 제대로 이해하였는가?

물론 저자 혹은 작가가 한 권의 책으로 자기의 모든 것을 전부 보여줄 수도 없고, 보여주지도 않는다는 것을 알고 있다. 그렇더라도, 나는 그 한 권의 책으로 다가온 작가를 얼마나 읽어내었단 말인가? 제대로 듣기 위해서는 내가 듣고 싶은 이야기에만 집중해서는 안 되며, 나에게 말을 하는 사람이 하는 모든 말에, 그 말들 뒤에 있는 무언의 말까지 들을 수 있어야 한다고 한다. 책 역시 마찬가지일 것이다. 내 눈을 번쩍 뜨이게 하는 문장, 기억해두고 싶은 문장은 원래 나와 인연의 정도가 높았을 것이다. 그런 인연을 받지 못한 문장들을 나는 얼마나 많이 무심코 지나쳐버렸을까? 보고 싶은 문장만 보았을 것이다.

눈을 크게 뜨고, 마음의 빗장을 풀고, 나의 영혼을 자유롭게 개방하여 무엇이든 제대로 읽었어야 했다. 때로는 속독을 하지만 때로는 깊이 숙독을 했어야 했다. 중요한 문장들만 기억해둘 것이 아니라 전체와 문맥을 보아야 했고, 작가가 쓰지 않은 언어들까지도 보아야 했다. 책들을 그렇게 봐야 했다.

내 인생에 찾아온 인연들, 나에게 인연의 명령으로 다가온 사람들, 그들 한 사람 한 사람도 또한 '책'과 같다고 생각해본다. 사람에 따라서는 몇 권, 몇 십 권의 책이다. 어쩌면 그 이상의 언어이며 진실이다. 나는 얼마나 읽고 있는가? 읽고 싶은 부분만 대충 살펴보고 있지 않는가 자책해본다. 내 눈만으로 보면 아니 될 것이다. 하나하나 모두 책인 그 사람을 이해하려면 책을 쓴, 책을 쓰고 있는 작가인 그의 눈으로 그를, 그라는 책을 읽어야 하는 것이다.

호수의 물결 위로 숲이 그림자를 비추는 밤, 책들이 낮은 목소리로 내게 말을 걸어온다. 숲과 호수에 책의 향기가 가득해진다. 아름다운 인연의 벗들 안에 책들이 가득하다. 그들의 책이 나에게 숲으로 다가와 있다. 나는 이 숲에서 오래 살며 떠나지 않기로 다짐해본다.

황산에
오른 작가

추석 때 며칠 쉬는 동안 집에서 읽을 거리를 찾다가 딸이
쓰는 방 입구에 있는 책장에서 박완서 작가의 산문집 〈호미〉
라는 책을 집어들었다. 세상에 많은 글과 작품들을 남겨두고
영혼의 세계에 있는 작가지만 그녀의 글들은 아직도 살아서
우리 곁에 남아있다.

그녀의 책을 읽다가 어느 대목에서 중국의 "황산"을 여행
하던 소회를 이야기하던 곳과 만났다. 70대의 할머니인 작가
는 마침 다리가 약간 불편했던 때였는데, 지인들의 설득과 같
이 가고 싶어 하는 사람들의 바람들에 기대감을 안고 황산으
로 여행을 떠났던 것이다. 그런 그녀에게 황산은 처절한 배신

감으로 쓰라린 기억만을 남기게 되었단다. 결국은 중국이라는 나라에 대해서 고개를 절로 흔들며 역시 한국이 더 좋구나라는 생각을 하게 만들었단다.

나는 지금까지 황산에 두 번 가보았다. 한 번은 95년 6월 북경어언학원에서 같이 어학연수를 하던 회사의 동료 두 명과 같이 갔던 적이 있고, 또 한 번은 상하이에서 주재원 생활을 하면서 아이들이 어린 학생이었을 때 가족 여행으로 갔던 적이 있다. 한여름인 8월이었다. 두 번 가봤던 황산, 내 걸음과 내 위치에 따라 수없이 다른 모습으로 그 아름다움을 내게 펼쳐보였었다. 나는 호남성에 있는 장가계, 귀주성의 계림, 사천성의 구채구 등 아름답다는 곳들을 가보았지만, 황산을 본 이후로는 다른 지역들의 아름다움은 내 눈을 만족시킬 수가 없었다. 아주 강력한 자극을 경험한 내 눈과 감각이 구채구에서 실망하고 장가계에서 실망했던 것이다. 한국 사람들은 구채구를 여행하면서, 장가계를 여행하면서 한국과는 다른 풍경, 다른 산수에 감탄을 하고 잊을 수가 없다고 말한다.

중국의 당조 중기 시인 유엔쩐(元稹)은 그의 시, 이별 노래(离思)에서 다음과 같이 읊었다.

曾经沧海难为水(청징창하이난웨이쉐이)

除却巫山不是云(추츄에우샨부쓰윈)

이미 푸르른 망망대해를 보았으니 다른 곳들의 물을 물이라 하기 어렵구
나, 무산에 올라 형형색색의 아름다운 구름을 보았으니 다른 곳의 구름이야
어찌 구름이라고 하겠는가. (번역: 박상윤)

시인은 사랑하는 아내가 세상을 떠난 심정을 이렇게 노래
했다고 한다. 마음 속에 지극히 아름다웠던 사랑을 떠나보낸
후, 그 어떤 여인을 보아도 사랑으로 보이지 않는다고 노래
하는 시인의 마음이 절절히 느껴지는 것은 내가 시인처럼 사
랑을 잃어버린 경험이 있어서는 아니다.

황산은 일 년 사계절 어느 계절에 가보아도 그 모습이 모
두 아름다울 것이다. 일 년 삼백육십오일 어느 날에 가더라
도, 심지어 하루의 어느 시간에 가느냐에 따라 모두 또 다른
절경의 모습으로 우리의 모든 감각을 멍들게 해줄 것이다. 황
산을 오르며 보았던 수많은 경치들, 황산 위에 올라서 보았
던 풍광들, 지금도 내 눈앞에서 손짓하며 부르는 듯하다. 나
에게 황산은 시인이 노래한 무산인 셈이다.

두 번 올라갔던 황산, 회사 동료와 같이 갔을 때는 전날

저녁에 황산 인근의 온천 호텔에서 잠을 청한 후 다음날 아침 걸어서 정상까지 올라갔다. 8시경에 출발했는지 기억은 흐릿하지만 이른 아침에 출발했는데, 걸어서 황산의 정상에 도착한 시간은 오후 5시 무렵이었다. 두 번째로 가족과 같이 갔을 때는 산 아래에서 줄을 서서 탑승표를 산 후 케이블카를 타고 산의 정상 가까운 곳까지 단숨에 올라갔었다. 케이블카에서 내리니 이미 산 정산이 가까웠다. 어린 아이들과 산보하듯 느긋한 마음으로 걸어 올라갔다.

처음 회사 동료들과 함께 황산을 걸어 오를 때 중간중간 무섭고 아슬아슬한 곳들을 지나게 되었다. 경사 정도가 너무 가파르고 오직 한 사람만이 지나갈 수 있는 곳들에서는 네 발로 기어가면서 아찔했던 기억이 있다. 아이들이 황산을 걸어 오르는 것은 무척 위험하고 힘든 일이 될 것 같아서 케이블카를 타고 오르기로 했던 것이다.

박완서 작가가 황산에 짜증이 났던 이유는 산 정산으로 오르는 길이 전부 돌계단으로 만들어졌다는 것이다. 중국은 태산이든, 구채구이든, 장가계이든 모든 산에 돌계단을 만들어 놓고 있다. 지금껏 내가 가본 중국 산들은 모두 돌계단을 밟고 올라야 했다. 흙을 밟으며 흙이 우리에게 주는 자연의 에너지를 몸으로 받아들이며 걷고 싶은 우리는 흙이 우리

몸의 무게와 피로를 흡수해 주는 느낌을 철저히 유린당한 채 오직 생명력이 없는 딱딱한 시멘트와 돌계단을 올라야 했다. 몸무게를 흡수해주지도 않고 흙의 기운, 땅속의 에너지도 나누어줄 수 없는 시멘트 돌계단들을 밟으며 오르려니 다리가 약간 불편했던 칠십 대 노인인 박완서 작가에게는 얼마나 큰 낭패였을까, 훤히 그 심정을 알 것 같았다.

작가는 생각했을 것이다. 왜, 중국은 산 정상까지 흙과 돌들을 자연의 상태로 놓아두지 않고, 굳이 계단을 만들었는지 알 수 없다고 속으로 투덜거렸을 것이다. 나 역시 중국 사람들을 이해할 수 없다. 자연 그대로인 상태로 산을 오르게 놓아둘 일이지 왜 돌계단을 만들었는지 모르겠다. 계단을 오르고 내려가는 것이 완만한 경사를 오르고 내려가는 것에 비해서 더욱 더 힘들고 지치는 일이다. 무릎의 관절도 힘들게 하지만, 마음의 기운도 땅과 순환이 안되어 마음의 관절까지도 쉽게 지치게 하는 것을 왜 만들었는지 도저히 이해할 수가 없다. 정상까지 계단을 만들기 위해서 얼마나 많은 가난한 노동자들이 그날그날 입에 풀칠할 돈을 벌자고 목숨을 걸었을까?

돌계단을 오르며 눈을 풍경으로 두고 감탄사를 내지르다가도 다시 돌계단을 보노라면, 그 수고한 사람들의 처절한 삶, 존재감도 없는 그들의 노고가 마음을 아프게 한다. 순간, 중국과 중국인들을 좋아하는 내 입에서도 어쩔 수 없이 돌계단을 만든 위정자들을 원망하는 말이 나올 수밖에 없다. 북경에서 팔달령이라는 만리장성을 몇 번 오르면서도 늘 떠오른 생각에 씁쓸했었던 기억과 맞물리는 것이다. 강제로 징집을 당하여 사랑하는 아내의 얼굴도 가물거리게 잊어간 채 그 담벼락을 쌓다가 한 겨울 눈보라와 추위에 굶어죽고, 맞아죽고, 얼어죽었을 목숨들을 생각하니 눈물이 나올 지경이었다.

황산, 참 아름다운 산이지만 돌계단은 중국인이 보여주는 큰 아쉬움인 것 같아서 씁쓸하다. 한 층 한 층 정상까지 쌓은 시멘트 돌계단, 그 안에 있는 불쌍한 노예들의 영혼을 생각해볼 수밖에 없다. 가진 자들의 편의주의적 발상, 돈이면 다 만들 수 있고, 행정명령이면 간단히 인력을 동원해서 만들 수 있다는 발상, 자연의 숨소리를 사랑하지 못하는 그들은 자연을 이용하여 더 돈을 벌겠다는 생각에만 몰두했는지 모르겠다. 내가 황산에 오르던 날, 아름다운 풍광에 취했지만 돌계단을 바라보며 힘들었을 가난한 사람들을 생각하니 마음이 아팠다.

시너지

2년 전 가을이었다. 처음 회사 밖으로 나가서 기업을 경영하거나 기업에 다니는 교민들에게 강의를 시작했다. 그 이후로 지금까지 회사 직원이 아닌 분들께 강의를 한 횟수가 이십여 차례나 된다. 특히 작년 말 책을 출판한 이후에는 상하이뿐 아니라 베이징과 한국에서 여러 차례 강의를 하게 되었다. 서울에서, 전주에서, 광주에서, 울산까지 여러 곳으로부터 초청을 받았다. 강의를 하고 책을 출판하니 가끔씩 강의를 들었던 분이나 책을 읽었던 분들이 고맙게도 이메일을 보내주곤 한다.

오늘도 반갑고 감동을 주는 메일을 한 통 받았다. 이번에는 내 책, 내 강의 때문에 받은 이메일이 아니라, 다른 분의 강의 덕분에 내가 받게 된 이메일이다. 정성들여 쓴 편지 같은 메일이었다. 이메일을 주신 분은 조선족 동포분으로 작가가 되려는 꿈을 갖고 있는 여자분이었다. 그녀가 보낸 글에는 '시너지 효과의 수혜자'라는 제목이 붙어 있었다. 신춘문예에 입선해야만 등단할 수 있다는 생각이 마치 외나무 다리를 건너는 것 같아 작가의 꿈을 이루지 못하고 있던 중에 시너지 전문가 유길문 박사의 강의를 듣게 되었다고 한다.

상하이에는 교민들이 보는 한국 신문 '상하이 저널'이 있다. 신문사에서 여름이 꺾이기 시작하던 8월 중순 유 박사를 상하이로 초청하여 강의를 진행했다. 8월 6일 수요일 오후 2시부터 '시너지로 승부하라'라는 제목으로 강의했고, 이틀 후인 금요일 밤 7시에는 '내가 책을 쓰고 싶은 이유'라는 제목의 강의를 또 했다. 두 번째 강의에 참석했던 분이 이메일을 보내온 것이다.

그녀는 유 박사의 강의를 듣고 난 후, 올해 초에 어떤 모임에서 "작가가 되겠다."라고 공식적으로 '꿈'을 선포했던 용기를 다시금 일깨울 수 있었다고 했다. 그동안 작가 공부를 해왔지만, 늘 부족함을 느끼면서 행동으로 옮기지 못해왔는데, 유 박사의 강의를 들은 다음 날부터 진정 작가가 되기 위해서 책상에 앉기 시작했다고 한다. 한국의 인기 드라마 '유혹'의 유혹을 물리치고 책읽기와 글쓰기에 전념하기 시작했단다.

내가 그녀를 처음 만난 것은 지난 달 '세계한인무역협회상해지회'에서 주최한 차세대 무역스쿨을 마친 마지막 날 저녁 만찬 자리였다. 젊은 한인들을 무역 인재로 양성하기 위해서 매년 1회 진행하는 무역스쿨은 올해 8기였다. 월드옥타 상해지회 부회장 겸 차세대 위원장인 나는 이 행사를 주관하는 책임을 맡은 사람이기도 했고, 첫째 날 강의를 했던 강사이기도 했기 때문에 만찬 자리에 꼭 참석해야 했다. 나와 같은 테이블에는 재일동포인 히로시마대학의 김문학 교수가 자리를 같이 했다. 김 교수는 둘째 날 오후 '동아시아에서 우리의 위상, 역할과 그 전망'이라는 제목으로 강의를 한 분이다. 자신이 시너지 효과의 수혜자라며 이메일을 보낸 사람을 이날 같은 테이블에서 처음 만났다. 김 교수의 일행으로 같이 온 그녀는 내 이름을 듣더니 내가 쓴 책에 대해서 들었다며 반가워했다. 그날 옆에 있던 김 교수는 그녀를 나에게 작가라고 소개해주었고, 나는 그녀에게 내가 쓴 책을 서명하여 선물해주었다.

〈선한 영향력〉을 읽은 후 나를 꼭 다시 만나고 싶어 했다는 이분은 유 박사의 강의를 들었던 8월 8일이 그녀에게는 개인적으로 기념비적인 날이라고 썼다. 유 박사는 지금까지 책을 6권 집필했는데, 첫 강의는 그의 최근 책, <더+ 시너지>의 내용으로 이야기했고, 두 번째 강의하던 금요일 밤에는 그의 다른 책, <책 쓰는 사장>의 내용으로 열강했다. 일찍 강의장에 도착한 그녀는 강의할 유 박사와 개인적으로 사진을 찍을 수 있었고, 강의를 마친 후엔 유 박사와 나와 또 여러 참석자와 더불어 같이 식사 할 수 있었다는 점을 기쁘게 말하고 있다. 그날 저녁은 완벽하게 아름다운 '문학의 향연'이었단다.

'시너지'에 대해서 저술하고 강의를 했던 유 박사와 '선한 영향력'을 쓴 내가 만나서 시너지를 냈다는 것이다. 그런 시너지의 수혜자가 자신이라고 말하는 것이다. 1 더하기 1은 2가 아니라, 유 박사의 말처럼 유 박사와 나, 두 사람이 만나서 더 많은 사람이 시너지 강의를 들을 수 있게 되었고, 자신도 글쓰는 작가가 되는 법에 대해서 강의를 들었으니 시너지 효과를 크게 냈다는 것이다. 그녀의 말이 맞다.

유 박사의 말처럼, 내가 유 박사를 알았고, 내가 상하이저널의 고수미 편집국장을 알았고, 이런 관계가 융합되어 시너지를 낸 것이다. 작가가 되는 것이 꿈이었지만 정작 글쓰기를 시작하지 못하고 있던 사람이 바로 책상에 앉아서 글을 쓰도

록 만들었다. 내게 이메일을 보내지는 않았지만, 그날 강의에
참석했던 분들 중 긴 시간 동안 의자에 엉덩이를 붙이고 책상
위 컴퓨터 자판에서 열심히 손가락을 움직이는 분도 있을 것
으로 믿는다. 그들의 책이 출판되면, 그 책들의 독자 역시 그
날 밤 유 박사의 강의가 창출한 시너지 효과가 될 것이다.

유 박사는 대학을 졸업하고 은행에 입사했다. 직장을 다니
면서 대학원에 진학하여 석사를 하고 경영학 박사가 되었다.
그가 책을 읽어야겠다는 생각으로 13년 전 지인 두세 명과 같
이 만들었던 독서클럽은 오늘날 많은 타지역의 독서모임이
벤치마킹하고 있는 대한민국 최고 독서모임 브랜드 '리더스
클럽'으로 성장했다. 독서클럽을 하면서 책을 읽고 토론하며
느낀 점을 쓴 책이 그가 처음으로 쓴 책 <책 향기 사람 향기
>이다. 그 후, 그는 <꿈을 묻는 10대에게>, <다시 시작하는
힘 결단>, <지금 당장 도서관으로 가라>, <더+시너지>를 집필
했다. 그는 CLO(최고경청책임자 : Chief Listening Officer)
가 되고 싶었다고 한다. 나는 유박사가 대한민국 최고의 경청
달인이 되어 CEO 및 리더들의 이야기를 공감적으로 잘 경청
하고 코칭하는 대한민국, 나아가 세계적인 시너지 코칭 전문
가가 되리라 믿는다.

아침에 아버지가 내 후배에게 보낸 메시지를 후배로부터 전

달 받았다. 아버지는 메시지로 시너지라는 단어를 사용했다. 지난주 유 박사가 상하이에서 시너지를 강의하는 것을 들었고, 주말에는 그가 쓴 책 〈더+시너지〉를 읽었는데 아버지가 시너지를 말씀하신다. 아버지로부터 시너지라는 단어를 듣기는 처음이다. 우연일까? 시너지 강의를 하고 귀국하는 유 박사를 지난 토요일 오후 상하이 포동 공항에서 전송한지 불과 5일 정도인데, 시너지 효과의 수혜자라는 분의 이메일을 받고, 시너지 효과가 클 것이라고 말씀하시는 아버지의 메시지를 받게 되었다. 유 박사의 SNS에 들어가 이런 현상을 '유길문 효과'라고 이름 지어주는 글을 남겼다.

SNS를 빠져나와 책상에 앉은 채로 직원이 가져온 점심 도시락을 먹고 젓가락을 막 내려 놓았는데 회사 운전사가 아이스 아메리카노 한 잔을 사서 내게 건넨다. 어찌 내 마음을 알았을까? 기특한 생각에 식후 휴식 겸해서 서울에 있는 후배 시인에게 메시지를 보냈다. 책상 위에 놓인 커피잔을 찍어 보내면서 직원이 어찌 내 마음을 알았는지 고맙다고 썼다. 후배 장재홍 작가의 메시지 회신이 재미있었다. 있는 그대로 옮기면 "형님은 묵묵히 = 직원 자율 보장 = 꽃 피는 시너지"라는 내용이었다. 후배 장 작가의 메시지에서도 '시너지'라는 단어가 나왔다. 아! 나는 이제 시너지의 마법에 빠져들고 있구나!

유 박사는 시너지를 시(詩)와 너(You) + 지(知, 책)가 합하여 만들어진 단어라고 해석했다. 시너지를 내려면 우선 감성이 있어야 한다고 말했다. 내가 있어야 하고 당신이 있어야 하고, 그리고 서로 앎을 통하여, 책을 통한 배움을 통하여 시너지를 창출하는 것이라고 했다. 대단한 통찰력이 아닐 수없다. 후배 장 작가가 사용한 시너지, 아버지의 메시지를 전해 준 〈거절을 거절하라〉의 저자가 보낸 메시지에서 만난 아버지가 말씀한 시너지, 이 모두에는 감성과 너와 책이 연결되어 있다.

리스본행
야간열차

"우린 모두 여럿, 자기 자신의 과잉, 그러므로 주변을 경멸할 때의 어떤 사람은 주변과 친근한 관계를 맺고 있거나 주변 때문에 괴로워할 때의 그와 동일한 인물이 아니다. 우리 존재라는 넓은 식민지 안에는, 다른 방식으로 생각하고 느끼는 다양한 사람들이 있다."

포루투칼의 작가 페르난두 페소아는 1932년 12월 30일에 쓴 일기에서 이렇게 적고 있다. 그의 사후에 그가 쓴 일기들을 모아 출판한 책 제목은 <불안의 서>이다. 한국에서는 소설가 배수아가 번역하여 출판한 책이다. 개인적으로 존경하는 소설가 정도상 작가가 어느 날 이 책 표지의 사진을 SNS에 올렸다. "한 번도 마주쳐보지 않은 배수아 작가가 번역한 이 책을 읽고 싶다."는 글과 함께. 어떤 책이길래 영혼이 깊은 작가가 읽으려는 것일까, 궁금해져 서울에 갔을 때 사가지고 왔다.

책을 읽는데 며칠의 시간이 걸렸다. 보통 책은 하루면 다 읽을 수 있고, 어떤 책들은 오후 반나절이면 다 읽을 수 있는데 보통 책의 세배 정도 두께가 되는 〈불안의 서〉를 읽는 일은 쉽지 않았다. 이해하기 쉽지 않은 메타포와 철학적 사유가 가득한 글들이었다. 작가 스스로 글을 쓰기 위해서만 존재한다고 생각했던 페소아의 일기를 읽는 동안 역설적으로 나는 행복할 수밖에 없었다.

삶을 바라보는 무거운 시각, 얼핏 글의 표면만을 읽으면 허무주의자의 글로 읽히기도 하지만, 나는 그가 삶을 너무 사랑했기 때문에 위대한 영혼이 되었다고 생각한다. 빨간색과 연두색의 볼펜을 번갈아가며 대부분의 페이지에 밑줄을 열심히 그었다. 모방하고 싶은 표현, 배우고 싶은 메타포가 가득한 그의 글들은 글쓰기 훈련을 하려는 나에게는 반가운 교재와 같았다.

몸 안에 시간 인식 기능이 있는지도 모르겠다. 6시간 정도 잠을 잤다는 것을 측정한 몸은 내 의식을 깨웠다. 침대에서 몸을 일으켰다. 나를 제일 먼저 반긴 건 창밖의 어둠 속에서

울리는 빗소리였다. 노트북을 켜니 시간은 아직 4시밖에 되지 않았다. 일요일이니 늦잠을 자야 하는데 몸이 나의 의식을 너무 일찍 깨워버렸다. 책 한 권을 집어 들었다. 파스칼 메르시어의 소설, 〈리스본행 야간열차〉를 읽기 시작했다. 친구가 SNS에 이 영화를 본 후 써놓은 글을 본 적이 있다. 그 후로 나는 이 영화의 원작 소설을 읽고 싶었다.

소설 〈리스본행 야간열차〉의 작가는 소설을 시작하기에 앞서 책의 앞 부분에 페소아의 글을 인용했다. 바로 이 글의 맨 위에 있는 문장이다. 주인공 그레고리우스는 스위스 베른에 있는 키르헨펠트학교에서 라틴어, 헤이라이어를 가르치는 고전문헌학자이다. 결혼한 지 5년 만에 이혼한 그는 56살의 나이가 될 때까지 혼자 살아왔다. 학교에서 학생들을 가르치는 천재 학자, 완벽한 학자의 삶으로만 살아왔던 그였다. 오직 학자로서, 학생들을 가르치는 선생님으로서만 살아갈 운명이었던 것처럼 말이다.

어느 겨울 아침, 차갑게 몰아치는 소낙비와 맞서며 출근을 하던 그의 앞에 한 여자가 나타났다. 키르헨펠트 다리 난간에 팔꿈치를 붙이고 서있던 그녀의 하이힐에서 발끝이 미끄러지기 시작했다. 그 순간 그는 그녀를 향해 달렸다. 아무런 예고도 없이 여자는 그의 삶에 침범해 왔다. 그녀의 포르투게스

(포르투칼어)는 가볍고 길게 늘어져 나비가 너울거리는 것 같았다. 목소리와 빨간색 겨울 코트를 남겨놓고 떠난 그녀를 잊지 못하던 그는 여자의 행방을 쫓아 서점을 들렀다. 그는 서점에서 운명처럼 책 한 권을 만난다. 역시 포르투게스로 쓴 책이었다. 저자의 이름은 아마데우 프라두, 책의 제목은 〈언어의 연금술사〉였다. 한 번도 일탈을 생각해보지 않은 그레고리우스는 주체할 수 없는 충동에 사로잡혀 리스본행 야간열차를 탄다.

그는 언어학자답게 빠르게 포르투게스를 배우기 시작하고 한 문장씩 번역하기 시작한다. 프라두의 책을 번역하던 그레고리우스는 리스본행 야간열차에서 이 문장을 만난다.

"우리가 우리 안에 있는 것들 가운데 아주 작은 부분만을 경험할 수 있다면, 나머지는 어떻게 되는 걸까?"

지금까지 자기가 태어났던 도시에서 평생을 학생들의 선생으로 살아왔던 남자는 포르투게스로 쓴 책의 문장에 빠진다. 포루투게스의 유혹적인 발음을 남기고 사라진 이름 모를 여자가 그로 하여금 프라두라는 인물의 삶을 추적하게 만든 것이다. 지금껏 하나의 삶으로만 살아왔던 그는 프라두의 문장을 매만지며 눈을 창밖의 어둠으로 돌린다. 불빛들이 자꾸 뒤로 밀려날 때, 그는 자신 안에서 지금껏 꺼내보지 않았던 다른 삶을 더듬기 시작한다. 그는 지금 자기 안에 있는 또 다른 자아가 있는 목적지로 가기 위해 열차를 타고 있는 것이다. 자신이 존경하는 마르쿠스 아우렐리우스의 명상록 한 문구를 인용하며 아무런 말도 없이 떠나버린 학교에 쓴 편지는 다음 날 아침이면 도착할 것이다.

"자기 영혼의 떨림을 따르지 않는 사람은 불행할 수밖에 없다."

리스본행 야간열차에 탑승한 그레고리우스, 그가 새로운 삶을 찾아 떠나는 이야기, 소설이 시작되기 전에 작가는 페르난두 페소아의 일기를 적어두고 있다.

"우리의 내면에는 수많은 우리가 있다."

나의 내면에는 많은 내가 있다. 나도 소설과 영화의 주인공 "그레고리우스"처럼 어딘가 불쑥 떠나고 싶다. 나의 열망을 부르는 곳, 잃어버린 나를 찾을 수 있는 곳, 내 안에서 글을 찾고 시를 꺼낼 수 있는 곳으로 야간 열차를 타고 떠나고 싶다.

살라자르 독재 시대에 청춘을 살다가 1973년 혁명이 일어나던 날 세상을 떠난 포르투갈인 아마데우 프라두, 그는 억제할 수 없는 천재성으로 철학자이자 시인이 되기를 원했다. 삶이란 우연에 의해서 조작되는 것인 양, 의사였던 그는 독재 정권의 앞잡이, 살인마라고 불리던 멘제스를 살려낸다. 사랑보다 우정을 더욱 신뢰했던 그는 레지스탕스 친구 조지가 사랑하던 여인과 마주쳤다. 그 순간 그의 인생은 다시 한번 뒤집힌다. 그가 독재 정권 하에서 판사였던 아버지의 아들로 태어난 것도 우연이었을 것이다. 세상에서 가장 아름다운 것은 시를 쓰는 것이라고 생각했던 그는 우연히 찾아온 동맥류가 터지면서 생을 마감하게 된다.

이 소설을 쓴 작가는 독자들에게 무엇을 이야기하려 했을까? 삶은 우연에 의해서 엮어지는 이야기이며, 그 우연을 쫓으라는 이야기인가? 영화의 마지막 씬은 안과 의사인 여자와 그레고리우스가 연인이 되어 포루투칼에서 같이 살게 될 것 같은 분위기를 암시하고 있지만 소설은 좀 다르다. 소설에서 그레고리우스는 그가 가르치던 학교가 있는 베른으로 돌아간다. 어지러움증으로 고생하던 그가 수술실에 들어가면서 소설은 끝난다.

그레고리우스에게 일탈은 베른으로 다시 돌아오기 위한 것이었을까? 왜 그는 리스본에 남아서 새로운 인생을 살지 않았을까? 아마데우 푸라두의 삶 속에 빠졌던 지난 오십여 일, 그런 일탈을 경험하기 전의 그레고리우스와 베른으로 돌아와 수술실로 들어가는 그는 같은 인물이었을까?

수술실에서 회복되어 나온 그레고리우스는 다시 학교에서 학생들을 가르칠 것이다. 외견상의 일상은 리스본행 야간열차를 타기 전과 거의 비슷한 삶을 살아가게 될 것이다. 그러나 그의 내면의 삶은 이미 달라져 있을 것이다. 마치 작품 속에서 그가 유리알 같은 두꺼운 돋보기안경을 쓰다가 가볍고 세련된 안경으로 바꾼 것처럼, 그는 인생을 좀 더 자유로운 영혼으로 살아갈 것이다. 삶을 더욱 사랑할 것이다. 그 안에서 우연으로 만나게 될 많은 것들을 사랑하며 시를 쓰게 될 것이다.

가을이 세상을 다시 포장하고 있다. 남자에게 치명적인 계절이다. 그레고리우스처럼 나이 50을 넘은 남자에게는 더욱 그렇다. 지금 나는 51번 째의 가을을 맞이하고 있다. 지난 50번의 가을은 어땠나? 지난 세월 50번의 가을에 쌓인 낙엽들을 약탕기에 집어넣어 끓이고 짜내면 검은 농액이 한 사발 나올 것같다. "삶의 회한"이라는 네 글자로 된 먹물. 행복했던 순간들, 자랑스럽던 순간들, 뭔가 성취했다고 느꼈던 순간들도 검은 약탕 속에서 침묵하고 있을 것이다. 지난간 삶은 그렇게 표현해두는 게 맞다.

약탕, 그렇다. 의도하지는 않았지만 글을 쓰다 보니 약탕기에 50번의 가을을 넣어서 끓였다. 희로애락이 끝없이 물결

쳐왔던 지난 가을들이지만 내게 약이 되어 눈앞에 있다. 내가 살아왔던 50번의 가을, 새로 맞이하는 51번째의 가을, 지난 세월이 나에게 달여준 탕약을 마시며 나는 진정한 나를 찾아 야간열차를 탄다.

누구는 51번 째의 가을을 맞지 못하고 계절이 없는 곳으로 떠났다. 누구는 51번 째의 가을에 겨울보다 혹독한 계절을 보내고 있다. 세월호의 아이들이 그랬고, 그들의 부모가 그렇다. 우연처럼 찾아온 중탕을 마시며 가을의 야간열차에 몸을 실은 나의 손에는 그레고리우스가 들었던 빨간 코트는 없다. 대신 노란 리본을 들었다.

"진정 시를 쓰고자 한다면 제 안의 폭풍우 따위는 빈 집에 가두고 가장 깊은 울음을 우는 누군가의 빈 어깨를 가만가만 다독거릴 일이다."라고 말한 이재규 작가의 글과 함께 열차에서 조용히 눈을 감아본다.

인생 리부팅을 열망하는 당신에게

세상에 태어나 50년째 살아오던 작년 여름 처음으로 책을 썼다. 내 자신이 직접 쓴, 그래서 "내 인생의 첫 번째 책"이라고 스스로에게 명명한 책, <선한 영향력>을 작년 11월 25일 출판했다. 그 후 최근까지 1년 동안 써왔던 글들 중에서 40 꼭지의 글을 추려 한 권의 에세이집으로 묶었다. <나는 한 살이다>는 "내 인생의 두 번째 책"으로 나의 에버노트를 떠나 내가 앞으로 살아가야 할 삶을 지켜볼 것이다.

나는 올해 나이 51살의 한국인으로 20년 가까이 중국 상하이에 살고 있다. 지금은 상하이에 살며 무역회사를 경영하고 있고, 장쑤성에 공장을 운영하고 있다. 두 개의 법인 회사를 경영하면서 기업의 지속 성장과 행복한 그룹 회사로 발전하기 위한 꿈을 위해 나아가고 있다.

나는 매일 책을 읽으며 또한 매일 한 꼭지의 글을 쓰며 살겠다고 연초에 스스로 다짐한 바를 실천하며 살고 있다. 아직은 독서량도 부족하고 글도 미흡하지만 사업을 하는 것과 더불어 글을 쓰면서 살아가는 삶을 지속하려 한다. 사업하는 일과 글을 쓰는 일은 모두 책을 읽는 일로부터 시작된다고 믿는다. 책을 읽지 않는 사람이 행복한 기업, 선한 영향력을 나누는 기업을 가꾸어 나가기는 어려울 것이다. 마찬가지로 글을 쓸 수도 없을 것이다. 글이란 생각을 적는 것이고, 생각은 곧 인격이며 영혼이다. 그래서 기업을 하는 나는 반드시 책을 읽는 일과 글을 쓰는 일을 기업을 경영하는 토양으로 삼고자 한다.

이 책의 출판일자는 내 나이 만으로 51살의 생일이다. 살았던 50년을 빼고 보니 앞으로 살아갈 두 번째 인생 50년에서 만 한 살이 되었다. 나는 한 살이기 때문에 새로 태어난 아이처럼 순수하다. 처음부터 인생을 다시 시작하는 것이다. 인생을 리부팅했다고 생각한다. 내년에는 두 살이 되고 10년이 지나면 10살이 된다. 20년 후에는 더욱 젊은 청춘이 되어 갈 것이다. 갈수록 젊어진다고 생각하니 꿈도 많다. 첫 번째 50년에서 부족했던 나의 모습으로 내가 지금부터 살아갈 두 번째 50년을 규정하지 말 것이다. 나는 한 살이기 때문에 지금부터 많은 것을 배울 수 있다. 할 수 있는 일도 많다.

당신도 나처럼 인생을 리부팅 해보시길 권하고 싶다. 당신의 나이가 몇 살이든 한 살로 다시 시작할 수 있다고 믿는다. 우리는 다시 순수하게 태어날 수 있다. 젊은 꿈을 가진 인생으로 거듭 날 수 있다. 인생을 리부팅하는 방법은 글을 쓰는 것이라 믿는다. 나도 앞선 50년 동안 문장을 써본 적이 없다. 누구나 내면에 깊고도 많은 이야기들을 간직하고 있다. 나 역시 당신처럼 원래는 작가들만 글을 쓰는 것이라고 생각했다. 그래서 쓸 생각조차 해본 적이 없었다. 그러나 이제 글을 쓴다. 글을 쓰며 인생을 리부팅하기 시작했다. 당신에게도 당신이 한 살로 다시 태어나는 마법이 작동될 것이다.

앞서 출판했던 책 <선한 영향력>덕분에 "인연의 명령"처럼 내 인생의 도반으로 찾아와 준 존경하고 사랑하는 분들께 마음 깊이 감사드린다. 나의 두 번째 인생의 여정을 격려해주시는 당신들에게 많은 축복이 함께하길 기원한다.